LES CHEMINS DE MA FOI

L'Église et les sacrements, Éditions de la Pensée catholique, 1956.
C'est toi, cet homme, Éditions Universitaires, 1957.
L'Évangile nous parle, Éditions Fleurus, 1968 (épuisé).
En écoutant l'Évangile, Éditions Fleurus, 1968 (épuisé).
La prière d'un homme moderne, Le Seuil, 1969.
L'Évangile sans mythes, Éditions Universitaires, 1970.
Si l'Église ne meurt, Éditions Universitaires, 1971.
Méditations d'Évangile (Prix du Livre catholique), Éditions Universitaires, 1973 (épuisé).
Oser parler, Centurion, 1982.
Chaque jour est une aube, Centurion, 1987.
Prier, c'est devenir, Centurion, 1989.

Publications à compte d'auteur :
(disponibles chez Mme ÉVELY, Piégros-la-Clastre, 26400 Crest)

— *Notre Père,* 1956 — *Vivre en fraternité,* 1956
— *Fraternité et Évangile,* 1956 — *Souffrance,* 1957
— *Une religion pour notre temps,* 1962 — *Spiritualité des laïcs,* 1964
— *Apprenez-nous à prier,* 1966 — *Amour et Mariage,* 1966
— *Des pauvres,* 1967 — *Éduquer en s'éduquant,* 1967
— *Homélies sur la Parole,* 1967 — *Credo,* 1967
— *Liberté,* 1967 — *Chemin de joie,* 1968 — *Dieu et le prochain,* 1968
— *Questions de vie et de mort,* 1978 — *Échecs et espoirs d'un christianisme,* 1978.

Tous ces ouvrages ont été très largement diffusés et traduits en de nombreuses langues : allemand, espagnol, catalan, italien, anglais, néerlandais, portugais, polonais, japonais, vietnamien, arabe, finlandais, indien, etc.
La biographie de Louis Évely a été écrite et publiée en Angleterre (1980) par le Rd Neville Crayer, secrétaire de la Bible Society.

Louis Évely

Les chemins de ma foi

Centurion

ISBN 2-227-340-70.5
© Éditions du Centurion
41, rue François-Ier, 75008 Paris

Préliminaire

Louis Évely ne fut pas un écrivain dans le sens habituel du terme, il se mettait rarement à sa table pour « écrire un livre ». La plupart de ses ouvrages sont la retranscription de retraites ou conférences. Il en corrigeait les textes avec beaucoup d'ennui, car sa pensée le projetait déjà bien loin en avant.

Par contre, il vivait en permanence en état de création, attentif à capter ses inspirations et les échos qui lui parvenaient du monde extérieur. C'était un éducateur-né, il éprouvait le besoin de traduire ces inspirations pour un auditoire. Il améliorait ainsi sa pensée, la clarifiait pour la rendre accessible à tous. Cela le prenait tout entier et, de ce fait, il trouvait peu de temps pour publier.

J'ai eu longtemps le privilège d'être son premier auditoire. Que de fois ne l'ai-je pas incité à publier tel ou tel sujet qui me paraissait essentiel. Mais, invariablement, je recevais cette réponse : « Ce qui m'importe, ce n'est pas de publier, mais de mettre à jour ma pensée ; tu éditeras ce que tu jugeras bon quand je ne serai plus là. »

Magnifique et redoutable responsabilité ! Car je me trouve devant une foison de textes, notes et documents auxquels il s'agit de donner forme et cohérence. Je suis encouragée à le faire par tous ceux qui apprécient ou découvrent sa pensée et en tirent profit pour éclairer, approfondir et dynamiser la leur.

Le livre que nous présentons aujourd'hui trouve son unité dans une double démarche. La première partie est intitulée *Mon itinéraire.* Pour comprendre toute la dynamique de l'œuvre de Louis Évely, il importe de mieux connaître la vie dont elle est issue. De même, comment comprendre l'homme sans la clé de la seconde partie intitulée *Ma foi,* qui ouvre des perspectives sur les convictions qui ont guidé ses pas ?

Pour coller au plus près de la réalité de ce que fut sa vie, le mieux n'était-il pas de laisser l'auteur s'exprimer lui-même ? Mais il répugnait à parler de lui. Aussi, mis à part son journal personnel (dont des extraits ont été publiés dans *Prier, c'est devenir,* Centurion), il n'a rien écrit qui le concerne. Cependant, au cours de quelques-unes de ses dernières rencontres, il a brossé les grandes lignes de sa vie.

J'ai donc choisi d'extraire de documents sonores les éléments qu'il a lui-même jugé bon de confier. Je crois néanmoins qu'il en dit assez pour que l'on puisse approcher du cœur de cette personnalité dans toute sa complexité attachante, et l'accompagner ainsi dans le cheminement de sa foi.

La seconde partie, *Ma foi,* n'est pas un exposé doctrinal ni catéchétique qui aurait la prétention de présenter le contenu de la foi de manière exhaustive. Ces textes (tirés de notes et ouvrages) se présentent comme une série d'unités littéraires expressives de sa recherche. Celles-ci sont groupées par thèmes, afin de faciliter la démarche du lecteur et l'inciter à prolonger la pensée de l'auteur. Il est donc libre soit de la rejeter, soit de la dépasser en la complétant, ce qui était le vœu le plus cher de ce provocateur de vie.

La réalisation de cet ouvrage a été possible grâce à la collaboration efficace de quelques amis à qui j'exprime toute ma reconnaissance. Ils sont convaincus comme moi que ce recueil anthologique peut être un précieux outil qui facilitera la démarche de personnes ou de groupes qui désirent approfondir leur foi et

VIVRE

en plénitude.

Mary Évely

Première partie

MON ITINÉRAIRE

Introduction

Il m'a souvent été demandé de décrire ce que fut mon itinéraire spirituel. J'ai beaucoup hésité à le faire, c'est un sujet si personnel ! Et puis, il faut le reconnaître, je n'ai jamais été habitué à parler de moi.

Déjà adolescent, j'étais farouche, silencieux, renfermé, mais malgré tout tellement désireux de communiquer. Les souffrances et les accidents de la vie m'ont fait dépasser le besoin de me confier. Et ce n'est certes pas l'état ecclésiastique qui m'a encouragé aux confidences. J'en recevais beaucoup, c'était ma mission. Mais à force d'écouter les autres, on désapprend à parler de soi.

Si j'entreprends ce récit aujourd'hui, c'est dans l'espoir d'exprimer, un peu mieux que je l'ai fait jusqu'ici, quelles furent les étapes de ma foi.

J'ai eu le bonheur, malgré une enfance difficile, de ressentir très tôt une Présence en moi qui me dépassait. Cette évidence a déterminé le choix de ma vie.

Si je me suis fait prêtre, c'est que je me sentais appelé à enseigner la foi. Mais j'ai progressivement compris que la foi ne s'enseigne pas : elle naît de l'expérience de la vie. Je parlais de la foi en Dieu, mais pour moi Dieu n'était pas encore un chemin vers la vie.

Quand Jésus dit : « Je suis la vie », cela n'a de sens que si l'on vit sa propre vie de la même vie dont Jésus a vécu. Il m'a fallu longtemps pour m'éveiller à cette vérité, pour apprendre que c'est la vie qui est le vrai chemin vers Dieu. C'est la vie qui doit m'apprendre Dieu, une vie vécue en plénitude, une vie large, ouverte, en relation avec tous les hommes.

Cette longue évolution a progressivement transformé mon enseignement. Tant que je parlais, même en termes provocants, de la religion traditionnelle, j'attirais de nombreux auditeurs. Ils se réjouissaient d'entendre « un curé aux idées larges » et ils étaient rassurés, car je restais un guide. Mais lorsque je leur ai fait réaliser qu'ils ne trouveraient Dieu qu'au centre de leur vie, j'en ai déconcerté un certain nombre. Cela les dérangeait. Ils venaient vers moi pour recevoir des directives, et je les renvoyais à leur propre responsabilité. « Vous nous conduisiez, disaient-ils, nous vous faisions confiance, et voilà que nous ne pouvons plus vous suivre. » Cela fait penser à la réflexion de cet homme politique qui disait : « Je suis leur chef, il faut bien que je les suive ! » Il y a là quelque chose de compréhensible : les troupes exigent que leur chef reste fidèle, une fois pour toutes, à ce qu'elles ont connu de lui. Alors, quand celui-ci évolue et va de l'avant, il y a hésitation... Vont-elles le suivre jusque-là ? Pourtant, qui abandonne l'autre, qui est le plus fidèle ? Faut-il être fidèle à soi-même ou à son passé ?

Mais s'il est vrai que j'ai laissé quelques amis en route, j'en ai retrouvé beaucoup d'autres. Je crois que c'est là le destin de tous ceux qui veulent avancer... Je n'ose dire : qui progressent.

Actuellement, je me sens partagé entre deux mondes : celui des incroyants, qui me passionne et pour lequel je suis trop chrétien (quelle que soit la largeur de mes vues et de mes interprétations, ils trouvent que j'ai encore gardé un ton qui leur rappelle l'ancienne musique dont ils se sont écartés), et le monde des croyants ; mais ceux-ci me jugent souvent trop libre et indépendant...

En fait, je voudrais passionnément unir ces deux mondes, et je me sens déchiré entre deux fidélités : la première, c'est l'Évangile (auquel j'ai consacré sans regret plus de cinquante ans de ma vie), la seconde, c'est le monde, les signes et les besoins de notre temps, et de mes contemporains. Je vois le monde travaillé par l'Esprit de Dieu. Je le sens en gestation et je me rappelle ce que Jésus disait aux pharisiens : « Vous pouvez interpréter les aspects de la terre et du ciel, mais ces temps-ci que vous vivez, ne les comprenez-vous pas ? » (Mt 16, 3).

Il est capital de se passionner pour la lecture des signes de son temps plus encore que pour ceux du passé. Quand je vois des chrétiens lire la Bible, je leur demande : « Et la Bible d'aujourd'hui, l'histoire sainte d'aujourd'hui, votre histoire sainte, la déchiffrez-vous ? » Qu'ont fait les Hébreux sinon d'apprendre à connaître Dieu dans l'histoire de leur peuple, dans tous ces moments où ils ont fini par découvrir qu'ils n'avaient pas été seuls, qu'un fil conducteur les avait guidés et inspirés ? Mais, cette histoire exemplaire sert souvent à nous dispenser d'écrire la nôtre.

Si donc je tente d'évoquer la mienne, c'est dans l'espoir d'exprimer un peu mieux que je ne l'ai fait jusqu'ici, ce dont, obscurément, nous vivons tous au plus profond de nous. Quelle joie alors quand on arrive à se comprendre ! Quand on arrive à cette conspiration, à ce consentement de l'esprit ! Joie, quand entre des subjectivités différentes s'établit une unanimité et que s'exprime cette réalité commune qui était déjà en nous et aspirait à être délivrée.

J'espère donc aller à la rencontre de ce que vous croyez, sans vous imposer ma façon de croire. Je ne veux rien prouver. Jésus non plus n'a rien démontré. Il a mis en lumière ce que chacun savait... sans le savoir. Vivait... sans le penser. Pensait... sans oser le dire. Et chacun en l'écoutant savait que c'était bien à cette vie-là qu'il aspirait. N'y a-t-il rien de plus paradoxal que les béatitudes, et pourtant, combien s'y reconnaissent !

Il y a un bon moyen de convaincre quelqu'un en matière de foi, c'est de lui dire ce qu'il sait déjà obscurément au fond de lui-même. Jésus n'était ni prêtre, ni rabbin, ni docteur, il n'avait pas de brillants diplômes, mais il parlait d'homme à homme en s'adressant à chacun, pauvre ou riche, et tous se reconnaissaient à la résonance de ce qu'ils percevaient dans leur propre cœur.

L'engagement chrétien est un choix. Je vais tenter de vous dire comment, finalement, j'ai fait le mien. Cela vous aidera peut-être à vous demander comment vous avez fait le vôtre. Et je suis certain que si nous n'avons pas suivi le même chemin, nous nous retrouverons à de nombreux carrefours où vous avez buté sur les mêmes questions, les mêmes problèmes que moi.

Croire... mais en qui ?

Mon chemin de foi personnel fut long et douloureux. Je n'ai jamais pu vivre sans croire, il y avait au fond de moi cette certitude : je suis habité par quelqu'un ou quelque chose qui justifie l'existence et lui donne son sens. Cela me confirme que la vie vaut d'être vécue et qu'il est bon de créer, de penser, d'inventer et, surtout, d'aimer.

Cet Être dont j'avais plus que tout besoin, qui était-il, où était-il, comment était-il ? Très jeune déjà, j'avais reconnu cette présence, cette solidité intérieure qui résistait à mon pessimisme, à mon ennui de vivre, au vide que je constatais dans ma vie et celle de mon entourage. Longtemps j'ai essayé de rapprocher cette certitude des enseignements de mon éducation chrétienne, mais quel décalage ! Aucune commune mesure entre ce que je ressentais et ce que l'on me disait. L'enseignement de cette croyance ne faisait pas appel, même par allusion, à ce qui se propose au-dedans de nous. Il m'aurait plutôt détourné d'en prendre conscience. Cette religion était sans relation avec la religion de mon attente, celle que l'on a naturellement dès l'éveil à la vie. On m'apprenait que, pour plaire à Dieu, il fallait faire ceci, éviter cela... c'était en somme l'usage externe d'un message fait pour l'usage interne.

Quelle triste idée ne nous a-t-on pas donnée de Dieu ! Un Dieu qui gouverne le monde et le poursuit de sa vengeance, à cause du péché d'un malheureux premier homme, qu'il rachète ensuite au prix de son sang. Un Dieu qui permet le mal en vous regardant souffrir, les bras croisés, alors qu'il pourrait l'empêcher..., comment peut-on y croire ? Dieu n'est-il pas le créateur fier de son œuvre ? N'en souffre-t-il pas plus qu'il ne s'en glorifie, ou s'est-il retiré le septième jour pour se reposer ?

Cette représentation m'a beaucoup nui car

j'étais trop crédule, trop confiant, trop appliqué, trop centré sur les croyances qu'on m'imposait. Celles-ci m'éloignaient de la vraie foi intuitive dont je devais me détacher... à regret.

Plus tard, j'ai cru sage d'étudier tout cela en théologie.

Le terrain où a germé ma foi

Quelques mots de mon enfance.

L'enfance est un moment terrible de la vie, terrible et magnifique. Je repense au titre du livre de Julien Green *Partir avant le jour*. L'enfant existe avant de voir le jour et émerge de la nuit sans défense. Son besoin spontané est d'exister, de grandir, d'aimer, d'être aimé et surtout d'être reconnu dans son originalité, ses aspirations, ses potentialités. Il est une personne à part entière qui revendique le droit d'être soi. Hélas, le monde qui l'accueille est si peu préparé à le recevoir ! Ses parents, bien souvent, projettent sur lui leur attente qui ne correspond que bien rarement à ce qu'il est, lui. Ils souhaitent inconsciemment compenser, à travers lui, les erreurs qu'ils ont commises, remporter les succès qu'ils n'ont pas connus, se venger de leurs souffrances, connaître, par procuration, le bonheur tel qu'ils l'imaginent, eux. C'est assez compréhensible, mais combien destructeur !

Pour ma part, je ne me suis pas senti le droit d'exister par moi-même. Comme tout enfant entrant dans ce monde je me suis demandé : « Y a-t-il une place pour moi tel que je suis, tel que je me sens capable d'être ? » Et je n'ai pas trouvé de réponse. Je n'ai certes pas manqué de soins, ni de caresses..., mais je n'ai pas été reconnu pour ce que j'étais, moi. Et j'ai ressenti cela comme une mutilation dans une grande part de moi-même. Que faire alors sinon s'anesthésier pour ne pas pas avoir trop mal, refouler sa sensibilité, son besoin d'exister, et marcher sur son cœur ? Ou bien encore, s'efforcer de se faire accepter par des moyens périphériques : devenir le meilleur élève... ou le plus mauvais, ce qui revient au même, car le seul but recherché, c'est de forcer l'attention pour être enfin reconnu.

Il m'a fallu très longtemps pour oser affronter intérieurement ceux qui m'ont blessé et ainsi arriver à combler ce manque.

La rencontre de quelques êtres assez vivants pour m'accepter tel que j'étais, sans chercher à m'assujettir, m'a permis de le faire et finalement d'avancer dans ma vie... et dans ma foi...

Je suis né, je viens de le dire, dans une famille où je ne me suis pas véritablement senti accueilli. J'étais le dernier, donc l'objet de la tendresse maternelle et, de ce fait, jalousé par mon frère et ma sœur.

J'ai vécu mon enfance dans une sorte de brume et il m'a fallu longtemps pour émerger de l'inconscience. J'admirais mon frère et ma sœur qui me semblaient tellement plus éveillés que moi, mais moi, je restais là à jouer... toujours seul.

Mon adolescence, il faut le dire, a été vécue dans un ennui terrible, ce qui explique peut-être ma vocation religieuse. Je circulais mécontent, insatisfait, me heurtant à tout, cherchant avidement le sens de mon existence. Pourquoi étais-je là, pourquoi les autres ? Et je restais de longs moments romantiquement penché sur la rampe d'escalier à me demander si j'allais ou non me précipiter dans le vide.

Vous voyez que finalement je ne l'ai pas fait !

Mes vacances se passaient à lire trois livres par jour, c'était mon régime de croisière. Intérieurement je critiquais tout ce qui se disait. J'écoutais les conversations familiales, en pensant : « Comment peut-on dire de telles stupidités ?... Cela ne vaut même pas la peine de répondre ! »

Bref, j'étais un garçon insupportable.

Peu à peu, ma solitude et ma capacité de contacts ont trouvé une issue : ma vie intérieure. Je pressentais une intime parenté entre l'intensité de cette exigence et le caractère absolu, fondamental des choses religieuses.

Mes parents étaient pratiquants mais indifférents au domaine de la foi. En moi, je pressentais l'exigence d'un absolu qui était la seule chose à la mesure de la violence de mon besoin.

C'est alors que Dieu s'est imposé à moi en creux. Je ne puis dire qu'au début je le sentais, mais ce que je sentais de façon évidente, c'était la faim que j'avais de Lui. Il était, à mon sens, la seule compensation possible au malheur des hommes, et au mien. La souffrance de l'humanité me semblait, en effet, intolérable, le monde tel que le je voyais, inacceptable ; aussi, avec toute la violence de la jeunesse, j'oscillais sans cesse entre le désir soit de le détruire, soit de le transformer.

Finalement, il m'a semblé plus raisonnable de m'atteler à cette seconde entreprise.

Si dans ma jeunesse j'étais profondément contestataire, je n'avais pas pour autant confiance en moi. Toute mon éducation m'en avait détourné. A seize ans, je me croyais bête, car si différent de mon entourage. J'essayais bien parfois de dire des choses intelligentes pour plaire, mais j'ai finalement constaté que l'on n'est jamais plus stupide qu'en cherchant à faire l'intelligent en se parant des plumes des autres.

Incapable donc d'être celui auquel j'aspirais, je me détestais cordialement. La bonne éducation chrétienne avait beau m'apprendre que Dieu m'aimait et qu'il fallait aimer son prochain comme soi-même, je n'arrivais pas à me persuader que ce Dieu, qui semblait toujours m'attendre au virage pour me punir puisse m'aimer, moi. Quant à aimer mon prochain comme moi-même, je ne voyais vraiment pas en quoi cela aurait pu lui être bénéfique puisque je m'aimais si peu. De même, j'ai compris tristement plus tard que l'on peut rester terriblement indifférent aux autres, même en se « dévouant » totalement à eux, tant que l'on reste indifférent à soi-même.

Rien ne vous atteint vraiment si l'on n'existe pas.

Il faut dire à notre décharge que l'éducation chrétienne d'alors était très imprégnée du précepte de Pascal : « Le moi est haïssable. » Nous nous nourrissions de la lecture de l'Imitation de Jésus-Christ : « Je suis un ver de terre, un affreux pécheur, etc. »

Et chez nos amis protestants, ce n'était guère plus réjouissant. Pour Luther : « La chair et le sang, corrompus par Adam, sont conçus et naissent dans le péché. » Quant au devoir conjugal..., il n'était « jamais appliqué sans péché ». Calvin, lui, traite l'homme « d'apostat, de singe, de bête indomptée et féroce dont l'entendement est asservi à bêtise et aveuglement ».

Bien sûr, nous n'en étions plus vraiment là, mais il en restait de solides traces.

Comment s'aimer dans un tel climat !

Il m'a fallu beaucoup de temps pour comprendre qu'au contraire, toute l'œuvre du Christ a été de remettre l'homme debout. Celui-ci est spontanément tenté de se croire faible, incapable, pécheur et Jésus lui dit : « Aie confiance, il y a en toi une source de vie, une puissance de guérison et de résurrection que tu ignores. Crois-le, tu feras des merveilles et tu soulèveras des montagnes. Laisse-moi tranquille avec tes péchés, n'en fais pas tout un plat, ils sont déjà pardonnés dans le cœur de Dieu. Ton seul vrai péché, c'est ta peur, ta peur de croire, d'espérer, ta peur d'aimer. Seule ta foi peut te guérir ! »

Le vrai problème qui est posé à chaque homme, c'est de se reconnaître assez habité de Dieu, assez imprégné de Lui pour se supporter, s'estimer soi-même.

Être présent à soi, c'est exactement être présent à Dieu. Cela se passe à la même profondeur.

Si nous n'arrivons pas à nous aimer nous-mêmes, à nous respecter, à vivre consciemment la présence de Dieu en nous, comment pouvons-nous témoigner qu'Il nous habite ?

Quand je fais aujourd'hui le bilan de mon adolescence, je vois ce qu'il y a eu, malgré tout, de positif dans mon éducation religieuse. Elle m'a rendu capable d'idéalisme (excessif, bien souvent), elle m'a donné le goût de l'intériorité, la capacité d'engagements désintéressés et le sens de l'absolu. J'ai cru vraiment que la vie avait un sens, et que la mienne pourrait servir. Mais les côtés négatifs de cette éducation religieuse furent, hélas, considérables. J'étais inhumain, j'avais peu d'amitiés — au reste, superficielles — pas d'échanges, pas de plaisirs simples. DEVOIR et PRIÈRE résumaient ma vie.

Le « devoir d'état » était sacré en ce temps-là. Rien de semblable n'est demandé dans l'Évangile, mais c'est cependant ce sur quoi les institutions insistaient le plus.

Il y avait dans ma vie religieuse une très grande ambiguïté : j'avais le mépris des choses terrestres parce que j'étais incapable de les goûter. J'ai pris longtemps pour don de soi ce qui n'était que mépris de soi, ignorance de soi, négligence de soi... et je crois que c'est là la plus grande faute que l'on puisse commettre. Si nous croyons que nous sommes créés à l'image de Dieu, comment aimer l'original si nous déprécions la copie ? Ne sommes-nous pas le premier don que Dieu nous a fait, le premier prochain qu'Il nous confie ? Et nous le traitons avec une froideur, une rigueur et une désinvolture que nous n'oserions exercer sur personne.

Nous ne pouvons pas avoir plus d'amour pour les autres que nous n'en avons pour nous, et n'oublions pas que les autres n'existent que si nous les aimons.

Le dévouement aussi complet soit-il ne remplace pas la simple sympathie naturelle.

Il faut être homme avant d'être chrétien. Dieu laisse tout à sa place, Il ne dit pas à l'homme : « Ote-toi de là que je m'y mette », mais Il transfigure notre relation aux êtres, aux autres.

Dieu ne nous dispense jamais d'être homme.

Quel travail que de comprendre cela de mon temps ! J'étais tellement encombré de dogmes et de principes que j'ai cru longtemps que plus je me détachais des hommes, de l'humain, plus je me rapprochais de Dieu. Cela a correspondu à ma crise mystique (oui, je suis passé par là aussi). Je priais plusieurs heures par jour avec joie. Il n'y a pas que l'héroïne ou le haschisch qui sont des drogues, la prière peut en être une et elle donne un sentiment d'exaltation extraordinaire. Je me sentais fort, invulnérable, inspiré, généreux, offert, mais enivré par ces sommets, je restais indifférent aux autres.

Mais revenons à mon adolescence.

J'étais un fichu intellectuel, et je ne pratiquais aucun sport. Quand on m'a proposé de devenir scout, j'ai tout d'abord accueilli cette proposition avec horreur, mais, avec mon volontarisme habituel, j'ai jugé bon d'accepter cette contrainte. Évidemment, la première fois que je suis sorti avec mes culottes courtes, mon grand chapeau et ma timidité ridicule, j'ai rencontré les trois filles que je croisais régulièrement dans la rue. Gros éclats de rire et... humiliation sans précédent pour moi.

Cependant j'ai bien fait de persévérer. Le scoutisme m'a appris le sport, la camaraderie, la responsabilité envers les autres et j'y ai noué de vraies amitiés. J'avais cru connaître Dieu sans connaître les hommes, ni moi-même, et j'ai enfin appris à connaître l'immense continent des relations humaines. Malgré tout, je restais encore trop enfermé dans ma gangue intellectuelle et volontariste pour laisser vivre réellement ma sensibilité à la fois si refrénée, et si frémissante. Et je compensais cela comme toujours avec excès, par une vie religieuse intense.

Une autre grande expérience qui a marqué profondément ma vie fut la guerre. J'y ai beaucoup appris et malgré l'horreur qu'elle a représenté, ce fut pour moi une grâce. J'ai découvert un monde où, enfin, les vraies valeurs apparaissaient, un monde où chacun était égal devant la mort, une société sans classe où se développaient la fraternité, la solidarité, le partage. Un vrai homme est celui pour qui chacun est un frère, un égal, l'écho de Dieu... Mais cela, il me fallait l'apprendre sur le terrain.

En 40, j'étais aumônier militaire. J'accompagnais les trains sanitaires qui ramenaient les blessés vers les hôpitaux de l'arrière. J'avais déjà expérimenté lors de bombardements que, dans le danger, les grades tombaient d'eux-mêmes et que les vrais chefs se révélaient alors tout naturellement.

Il en fut de même plus tard comme aumônier du maquis dans les Ardennes. J'ai accompagné de nombreuses expéditions de dissuasion et participé à bien des embuscades. J'étais entouré là de gens très simples, gentils et serviables. Mais, il faut le dire, peureux à un point incroyable. Cela heurtait mon tempérament volontariste, et il m'est arrivé de les provoquer en les effrayant bêtement. J'ai alors réfléchi à ce comportement et j'ai cessé ce jeu stupide. Tous ces braves gars m'avaient raconté leur vie et je savais à quel point elle était difficile : disputes de ménage, charges d'enfants, salaires nettement insuffisants, métiers pénibles ou gros problèmes dans leur travail. Pourtant, comme ils tenaient plus à leur vie que je ne tenais à la mienne ! J'ai compris que ma « bravoure » n'était en fait qu'insensibilité ; eux avaient le vrai courage. J'ai su alors que je ne mourrais pas... je n'en étais pas digne. C'était trop facile de mourir « mort ». Il me fallait d'abord réveiller en moi ce qui était endormi. Mais mourir vivant... quel travail !

En vous décrivant les aspects positifs et négatifs de mon évolution, je suis tenté de la comparer au comportement des jeunes de ce temps. A la fois, je les envie et les admire car ils osent être eux-mêmes. Ils s'affirment, s'opposent, contestent, choquent, provoquent, se revendiquent... parfois bêtement, mais ils « osent ». C'est un pas important vers la connaissance de soi, que nous n'avons pu franchir, pour la plupart d'entre nous. De nos jours, les jeunes dénoncent l'hypocrisie et revendiquent la vérité. Ils ne croient plus en l'expérience des autres, ils veulent la vérifier en faisant la leur. Ont-ils tellement tort ? Mais ce qui leur manque le plus, c'est le sentiment de l'absolu, une raison de vivre, une cause valable à laquelle s'accrocher. Et s'ils s'opposent parfois si brutalement à nous, c'est parce qu'ils veulent la trouver par eux-mêmes. Notre monde, jonché de cadavres, leur prouve assez l'échec de tant de nos entreprises, pour qu'ils se méfient et refusent spontanément ce que nous leur proposons. A travers essais, tâtonnements et erreurs, ils font leur expérience. Il nous faut les aider en les considérant positivement. Je pense que l'Esprit-Saint trouve en eux une pâte plus malléable que la nôtre car il y a quelque chose de pire que de ne pas avoir la foi, c'est de croire qu'on l'a. On est alors dispensé à tout jamais de la trouver.

On peut comprendre le désarroi des parents actuels qui n'ont pas été éduqués à se connaître eux-mêmes. Ils restent avec tous leurs problèmes sur les bras qu'ils mettront parfois toute une vie à résoudre.

Que de temps perdu !

Le choix

A la fin de mes études, il m'a fallu choisir : médecin ou prêtre, médecin du corps ou médecin de l'âme.

Indécis, j'ai choisi de commencer des études de philosophie pensant que, de toutes façons, cela me serait utile, spécialement si j'entrais au séminaire. Cela m'a énormément apporté. J'y ajoutais le droit pour lequel, je dois le reconnaître, je ne me suis jamais senti beaucoup d'affinités.

Comme étudiant, j'ai vécu un temps passionnant. Je me sentais libre. J'avais de vrais amis, de bonnes relations (bien que toujours un peu trop superficielles).

Je menais mes deux études de front tout en ayant des engagements comme président de la Jeunesse universitaire et toujours dans le scoutisme. C'était une vie riche et passionnante.

Après cinq ans, j'hésitais toujours et, bien sûr, je me suis demandé quel serait le don de moi qui me coûterait le plus. C'était une attitude courante à l'époque, d'ailleurs ce don ne me coûtait pas tellement puisque je valais si peu à mes yeux.

Face à l'ultime décision, il restait encore pour moi un gros obstacle : le monde ecclésiastique. Il me rebutait et l'idée de me promener en soutane était encore bien plus redoutable que de me montrer jadis en culottes courtes. L'uniformité me gênait bien plus encore que le vêtement. L'idée d'entrer dans une caste m'épouvantait et je refusais d'avance le préjugé attaché à cette fonction.

J'ai pourtant persévéré car je voulais rencontrer Dieu. Mais ce que j'ai rencontré d'abord, ce fut l'Église.

Le grand danger d'une religion établie, c'est qu'elle peut fonctionner toute seule, commodément, sans le Saint-Esprit. Elle possède un tel ensemble de pratiques, de croyances, de rites qu'il est possible de tourner en rond dans le système sans jamais faire d'expérience personnelle, ni avoir une vraie vie intérieure. C'est le danger subtil de toute organisation parfaite : elle tient lieu de tout. Pensez aux abeilles, aux fourmis, aux termites... Ils ont été intelligents en leur temps. Ils avaient inventé un système de civilisation que nous n'avons pas encore atteint. Mais, à un moment donné, tout est devenu tellement parfait qu'ils n'ont plus eu besoin de réfléchir et se sont arrêtés au sommet qu'ils avaient atteint. Il y a le même danger pour l'homme, dès qu'une organisation fonctionne trop bien. Elle risque de ne plus embrayer sur le réel. Elle tourne à vide.

Le rôle de l'Église, tel qu'on me le présentait, se bornait à nous imposer ses dogmes, sa morale, ses ordres. Je croyais qu'elle devait être une mère qui donne la vie et fait croître la vie spirituelle. Mais elle paraissait plutôt une marâtre qui nous tenait par la crainte. Bref, on nous donnait à manger des pierres en guise de pain.

Incroyable, mais vrai.

Cependant, dès mon entrée au séminaire, j'y ai été heureux comme un roi. J'étonnais tous ceux qui m'avaient connu auparavant. Grâce à ma formation et à ma bibliothèque, j'ai pu faire mes études de théologie en grande partie par moi-même. Les cours me paraissaient insipides, mais je mettais à profit les longs moments passés dans ma chambre.

Il faut bien dire que l'enseignement de cette époque était incroyable. Je paraîtrais le caricaturer en le décrivant. La plupart de nos professeurs l'étaient devenus au sortir du séminaire où ils étaient entrés très jeunes..., parfois même dès l'enfance... Ils n'avaient donc aucune expérience de la vie. Sans cesse je me demandais : quelle « bonne nouvelle » pourrais-je tirer de cet enseignement afin de l'apporter aux hommes de mon temps ? Ces hommes, je les avais un peu côtoyés durant mes cinq années de vie universitaire, et je pressentais leurs problèmes, leurs angoisses et surtout leur attente. Mais je ne voyais rien dans cet enseignement qui répondît à leur besoin. Ce message était sclérosé, stérilisé, incapable de remettre en cause le dépôt que véhiculait l'Église.

Par ailleurs, nous n'avions aucune vie sociale. Nous étions quatre cents dans ce séminaire, mais nous vivions chacun seul, sans contacts entre nous, sans vie de groupe. Rien qu'individualisme et soumission totale.

Que j'aie accepté de marcher dans ce système, je me le reproche encore, mais la peur de l'autorité était encore en nous.

Pour compenser cette soumission, il y avait l'exaltation d'être prêtre. Nous nous croyions déjà des personnages sacrés, dotés de parcelles d'autorité. Mais, petit à petit, j'ai compris qu'une conversion s'avérait aussi nécessaire à l'intérieur d'une religion qu'à l'extérieur... Je serais tenté d'aller plus loin, mais on m'accuse toujours d'exagérer. En fait de conversion, il vaudrait mieux dire : une série de conversions car il est aussi difficile d'être un bon chrétien quand on est né dans le christianisme que quand on vient du dehors.

Je tiens à préciser que si je décris ici ce que

j'ai vécu durant mes années de séminaire, il faut reconnaître que, dix ans plus tard, plus un seul des cours que j'avais subis n'était encore enseigné de cette façon.

Ma vie de prêtre

A ma sortie de séminaire, j'ai été nommé dans un collège qui récupérait tous les mauvais élèves du diocèse, et ceci parce que l'on m'estimait trop remuant. A la veille de mon ordination, on m'avait demandé mon avis sur la formation et l'enseignement que nous avions reçus. Je n'avais pas envie de répondre, car j'étais extraordinairement heureux. Mais, finalement, pensant que cela pourrait peut-être servir à réformer l'enseignement futur, j'ai dit ce que je pensais. Naïf que j'étais ! Résultat, j'ai été puni. Non seulement on a failli différer mon ordination, mais, alors que je devais enseigner à l'université, on m'a envoyé donner des cours à des enfants de neuf, dix et onze ans dans le dernier des collèges.

Ce fut ma chance et j'en ai retiré le plus grand bien. J'ai été obligé d'exprimer ma foi en termes simples et clairs, et, quand plus tard j'ai prêché et écrit ce que j'avais enseigné à mes petits élèves, les adultes s'y sont reconnus et ont compris que le langage de la foi est le simple langage de la vie.

Cette période fut magnifique. De l'enseignement aux petits je suis passé aux classes supérieures. Ensuite je suis devenu directeur d'internat, puis de tout le collège. Malgré les recommandations qui m'avaient été faites — surtout pas d'initiatives — le collège s'est trouvé complètement transformé. Tant de changements s'avéraient urgents !

Mon expérience dans le scoutisme m'avait permis de restructurer tout l'internat en faisant éclater ce monobloc en petites unités réparties dans la nature. Chaque groupe d'élèves avait son pavillon qu'il ornait et gérait lui-même. Les aînés logeaient même dans des maisons que je louais dans les environs. Au début je craignais pour eux l'éloignement, mais, qu'il pleuve, qu'il neige ou qu'il vente, ils adoraient ces trajets qui les rendaient libres. Avant, ils circulaient dans les couloirs du collège, comme des chevaux munis d'œillères, ne voyant rien autour d'eux.

Bref, il régnait au collège une entente merveilleuse. Que d'anciens élèves viennent encore m'en parler avec nostalgie !

Durant ces années-là, un homme m'a profondément marqué : Charles de Foucauld. Je me sentais très proche de l'itinéraire de ce grand contemplatif qui comprit à la fin de sa vie que Dieu n'est nulle part plus présent que dans l'homme.

Vers 1950, je suis devenu aumônier d'une sympathique équipe de laïcs qui cherchaient à approfondir leur vie spirituelle dans un échange fraternel. Nous nous sommes bien reconnus dans l'itinéraire de Charles de Foucauld, en ce sens que nous recherchions à la fois une prière qui ne nous coupe pas des hommes, et un travail qui ne nous coupe pas de Dieu.

Nous voulions échapper à deux absurdités ; celle de dire : « Je prierai pour toi » à quelqu'un qui a faim, et celle de donner du pain à ceux qui ont besoin de vie spirituelle.

Ce groupe de laïcs cherchait à être religieux dans le monde, fidèle à Dieu et fidèle au monde.

A chacune de nos réunions nous priions ou méditions une heure sur un texte, puis, après un joyeux repas, nous échangions sur un sujet choisi. Nous pratiquions aussi un vrai partage. Celui-ci allait très loin : participation aux travaux des champs, garde d'enfants, soutien financier, etc. Récemment, deux amis se sont retrouvés chez nous et l'un a rappelé avec émotion : « Tu te souviens du jour où, comme j'étais sans travail, tu m'as envoyé un chèque en blanc pour que nous puissions aller en vacances avec les enfants ?... »

Nous procédions aussi à une péréquation des revenus. Nous avions parrainé au Congo un institut médical que dirigeaient par roulement des médecins belges que nous soutenions financièrement. Et, à leur retour, ils avaient l'assurance de retrouver leur clientèle.

Dans ce groupe fraternel, j'ai découvert la chaleur des relations humaines et la vie réelle des laïcs. En les voyant vivre, j'ai pris conscience d'être moins humain qu'eux. Malgré tous les barrages que j'avais opposés, on m'avait inculqué la caricature du prêtre qui, renonçant à tout, est plus disponible à tous. Le laïc, lui, préférait le plaisir et les facilités du monde !

En réalité, c'était tout le contraire : le prêtre était à la fois très protégé et très libre de ses mouvements et, de ce fait, indemne de liens profonds.

Dire que l'on aime et se donne à tous peut très bien signifier n'aimer réellement personne. Le prêtre de cette époque n'avait ni égal ni vis-à-vis, il était toujours le supérieur ou l'inférieur de quelqu'un. C'était terrible, vous savez, de ne jamais rencontrer dans le quotidien quelqu'un qui ose vous parler d'égal à égal et qui n'éprouve à votre égard un sentiment d'infériorité. Aussi, j'essayais de rester le plus simple et le plus naturel possible afin d'effacer le vernis ecclésiastique. Mais sans doute était-ce encore là de l'orgueil puisque je voulais être apprécié pour moi et non pour ma qualité de prêtre. Ce prêtre qu'en société on entourait d'honneurs et de considération au point de le faire passer avant les dames à table. C'était donc à la fonction que l'on s'adressait et non à moi-même. Je trouvais cela assez humiliant.

Au fond de moi dominait au contraire le désir d'être un homme comme tout le monde et de pouvoir considérer chacun comme un vis-à-vis. C'est alors que j'ai compris que le laïc, tout autant que le prêtre, fait partie du peuple de Dieu ! On ose à peine le dire, mais il était si courant de penser que seuls les ecclésiastiques en faisaient partie. Cela me rappelle cette phrase significative d'un évêque à l'esprit avancé : « Les laïcs aussi sont d'Église. » Un peu comme si l'on concédait que « les soldats aussi font partie de l'armée » !

Il nous a fallu un temps fou pour réaliser cette aberration.

J'ai longtemps été un prêtre païen.

Qu'est-ce qu'un prêtre païen ? C'est un intermédiaire entre Dieu et les hommes, un spécialiste du sacré. Le monde du sacré était au ciel, là-haut, et notre rôle consistait à faire descendre un peu de sacré dans le monde d'en bas. On attendait du prêtre qu'il transmît au laïc la doctrine sacrée. On était en quelque sorte le canal obligé entre Dieu et les hommes, les dispensateurs de la grâce, du salut de Dieu.

Pour tout dire, j'ai cru qu'à mon ordination, mon être métaphysique serait changé et que je me retrouverais investi de pouvoirs. On me donnait le pouvoir de pardonner ; croyant que les péchés seraient remis à ceux à qui je les remettrais et retenus à ceux à qui je les retiendrais. Il suffirait que je décide : « Je te pardonne tes péchés au nom du Père et du Fils... » pour que ceux-ci soient effacés.

De même, je recevais le pouvoir de changer

du pain en corps du Christ, ce qu'aucun homme ordinaire ne pouvait faire.

Il m'a fallu longtemps pour comprendre que la réalité était tout autre et que la prêtrise était avant tout, une responsabilité.

Je m'explique :

Quand je lisais dans l'Évangile : « Qui vous écoute m'écoute et qui vous méprise me méprise », je traduisais tout naturellement : « Si vous m'écoutez, c'est Dieu que vous entendez, si vous ne m'écoutez pas, c'est Dieu que vous refusez... vous en serez bien punis ! » Quelle prétention !

Mais si j'avais la responsabilité de représenter Dieu, il me fallait le faire avec une telle simplicité, une telle transparence à Celui qui vit en moi, que les autres aient une chance de l'entendre, Lui, à travers mes paroles, et non moi. Si je parlais avec orgueil, exagération, violence (tout ce que l'on m'a reproché), ils m'entendaient, moi, et pas Dieu, et cela, c'était ma faute et non la leur.

Au confessionnal, ma seule responsabilité consistait à traiter le pénitent avec assez de respect, de justesse, de compréhension et d'amour pour qu'il se sente réconforté, ranimé, restitué à sa dignité d'homme. Ce n'est qu'alors qu'il se savait pardonné, qu'il pouvait se pardonner.

Par contre, si je le traitais en coupable et non en homme, je le maintenais dans l'état où je l'avais trouvé, je le « maintenais » dans son péché.

Nous avons tous à pardonner les péchés,

c'est-à-dire à nous aider mutuellement à nous pardonner les uns aux autres.

J'étais donc un prêtre païen, négociateur du pardon, de la grâce, du salut. Or, la « bonne nouvelle », c'est qu'il n'y a pas de négociateur entre Dieu et nous. Nous sommes tous Dieu « dedans ». Nous avons tous un accès direct à un Dieu qui n'est ni au-dessus de nous, ni à côté de nous, mais AU-DEDANS de nous.

C'est en méditant longuement l'Évangile que j'ai compris que je ne détenais aucun pouvoir magique et j'ai affronté ma responsabilité. Mais j'avoue qu'il ne fut pas facile de dépasser ce sentiment de supériorité que me conférait ma fonction.

Ma fidélité à Jésus m'a fait consacrer toute ma vie à l'Évangile. Ce fut, hélas, l'origine de mes différends avec l'Église qui me considérait comme un contestataire. Mais que fit Jésus sinon contester les autorités civiles et religieuses de son temps ?

Je suis par ailleurs très reconnaissant à l'Église car elle m'a transmis l'Évangile. Cet Évangile, j'ai à le transmettre à mon tour en lui gardant toute son originalité, sa spécificité, même si elle dérange.

Dans ce but, j'ai mené différents combats. Bien avant Vatican II nous avons été de nombreux prêtres à lutter pour sortir des formes figées de la liturgie et avons milité en faveur de l'usage de la langue vivante. De même nous souhaitions des célébrations adaptées à notre monde moderne et significatives par elles-mêmes.

Nous revendiquions un retour à l'Évangile que l'enseignement d'alors laissait de côté pour privilégier les commandements de Dieu et de l'Église. De même nous demandions une humanisation de l'autorité. Mais cela nous a attiré bien des ennuis et nous avons été suspectés sur toutes nos positions.

Il a fallu Vatican II pour que toutes les thèses que nous avions défendues au détriment de nos réputations soient non seulement acceptées, mais brusquement imposées uniformément. Ce contre quoi je proteste aussi, car pourquoi, brutalement, bousculer les habitudes de gens qui veulent encore une messe en latin? Qu'on les laisse évoluer à leur rythme en leur proposant des célébrations si humaines et vivantes qu'ils s'y reconnaissent et y adhèrent tout naturellement.

Hélas, quand, après Vatican II, les textes en latin, dont la masse ne comprenait rien, furent traduits, beaucoup se révélèrent imbuvables.

A cette époque, j'ai prêché de nombreuses retraites et récollections. Tout d'abord à notre fraternité et très vite à d'autres groupes. Mes premiers livres sont nés de ces partages et ils répondaient à une attente de l'époque. Mais en même temps mes écrits dérangeaient certains conservateurs. Un de mes premiers livres, le plus lu, *C'est toi cet homme,* a été dénoncé à Rome (alors qu'ensuite il a fait partie de toutes les bibliothèques de couvents). J'ai été confronté avec trois théologiens à qui j'ai promis de clarifier ma pensée si nécessaire, mais non de transformer ce que je pensais. (Mes livres avaient pourtant déjà reçu l'imprimatur.)

Néanmoins, la méfiance s'était installée à mon égard et mon évêque m'a alors demandé de ne plus publier.

J'ai cessé mes publications pendant un certain temps et finalement, à la demande de nombreux auditeurs, j'ai publié mes livres suivants *pro manuscripto,* c'est-à-dire sous mon entière responsabilité. Cela ne les a pas empêchés d'être très demandés.

Mais tout cela devenait très inconfortable, et je me sentais de plus en plus mal à l'aise dans cette Église que je représentais et qui me suspectait. Je ressentais une sorte de malhonnêteté de faire passer mes idées sous le couvert de l'autorité dont j'avais été investi. J'avais beau répéter à mes auditeurs : « Surtout ne croyez pas en ce que je dis parce que je suis un curé, vous trouverez un autre curé pour dire le contraire et alors vous perdrez rapidement la foi. Mon rôle est de vous fournir un certain nombre de sujets de réflexion qui vous permettront de juger par vous-mêmes, et, j'espère, de progresser. » Malgré mes recommandations mes auditeurs étaient ravis de mon progressisme et étaient rassurés car, malgré tout, j'avais toujours le « label ».

En 1957, j'ai eu l'occasion de prendre un temps de réflexion. J'avais été dix ans professeur, puis dix ans supérieur de collège. Ayant une activité énorme — sans doute excessive — je ressentais le besoin de faire le point. Je suis alors entré dans un monastère en menant entièrement la vie des moines. J'aimais beaucoup cette atmosphère cistercienne, cette vieille politesse, cette courtoisie venue du fond des âges. Et puis le silence, la prière, la réflexion, alliés au travail physique : moissons, cueillette et préparation de conserves de fruits, etc..., tout cela m'enchantait. En même temps, les longues heures consacrées au travail intellectuel m'ont permis de repenser toute ma théologie.

A un moment donné, j'ai senti à nouveau que ma vocation était de transmettre la parole, de communiquer ma foi. J'avais aussi besoin de me sentir du monde, de ne pas être coupé de lui. Alors j'ai quitté le monastère tout en y gardant, grâce à la complaisance des moines, un pied-à-terre hors de la clôture.

C'est alors que j'ai commencé à sillonner la France pour animer retraites et rencontres. Je l'ai fait également au Canada, en Algérie, au Cameroun, en Espagne et en Italie. Ce qui m'a le plus frappé, c'est que, partout, il y avait ce même désir de retrouver l'essence de l'Évangile. Et c'est à force de creuser moi-même l'Évangile que j'ai compris combien son langage était universel.

Au cours de mes nombreux voyages, j'ai souvent affronté la suspicion de l'Église face à ce qu'elle appelait mes « idées progressistes ». Bien souvent, ces idées, elle les a adoptées spontanément plus tard. Sans doute avais-je le tort de les avoir professées trop tôt. Mais rien ne pouvait m'empêcher de dire ce que je pensais.

C'est alors qu'après mûre réflexion, j'ai cru plus honnête de redemander ma liberté afin de continuer à prêcher l'Évangile en mon nom propre, c'est-à-dire sans représenter l'Église. J'ai obtenu mon retour à l'état laïc. Je crois que les autorités étaient assez contentes de ne plus compter dans leurs rangs quelqu'un de trop remuant. Mais, à mes yeux, je n'ai jamais quitté l'Église, je tiens à le préciser. Je ne conseille d'ailleurs à personne de le faire, si possible. Pourquoi se déraciner ? Le milieu qui nous a nourris est celui où l'on peut le plus facilement grandir, agir. C'est là que nous avons des frères avec qui échanger et susciter des formes et des lieux de vie adaptés à notre temps. Créer des communautés œcuméniques où l'on accueillerait tous ceux avec qui il serait possible d'élargir nos vues. Nous n'en sommes plus au temps où le christianisme enseigné par l'Église pouvait s'imposer comme le sens indiscuté de la vie humaine. Nous sommes dans un monde pluraliste qui nous sollicite sans cesse par des idées et des propositions nouvelles. Il nous faut donc nous informer, expérimenter, faire un tri honnête, et choisir.

Ma vie d'homme marié

Trois ans après mon retour à l'état laïc, je me suis marié.

J'avoue que ma première réaction, quand l'éventualité du mariage s'est offerte à moi, a été un violent rejet... Toujours l'orgueil ecclésiastique : la suffisance d'un homme qui se passe de femme. Et puis, imaginez quelle peut être, à soixante ans, l'indépendance d'un célibataire endurci !

Mais, quand j'ai mesuré la profondeur de mon amour pour Mary, quand j'ai expérimenté à quel point nous étions essentiellement semblables, que nous avions le même goût, le même besoin d'absolu, mes objections se sont évanouies. Avec elle je me sentais propulsé sur la voie que, depuis toujours, j'avais choisie et que jusque-là j'avais suivie seul.

Bien sûr, je savais que je choquerais. Pour certains, il aurait été préférable que je meure plutôt que de me marier.

Qu'allions-nous donc devenir, Mary et moi ?

Nous avons choisi ce beau pays de Drôme pour recommencer notre vie à zéro. Nous étions riches de notre amour, mais totalement ignorants de ce que serait notre avenir. Reverrions-nous un seul ami ? Aurais-je encore un seul lecteur, un seul auditeur... ? C'était l'inconnu et, à vrai dire, je ne m'en souciais pas trop.

L'important était avant tout d'apprendre à vivre notre vie à deux, notre vérité. Nous étions comme deux enfants émerveillés qui se seraient rencontrés au paradis, il nous fallait assimiler cette découverte, l'intégrer à la réalité. Jusqu'alors, j'avais vécu de ma foi, bien sûr, mais dans une vie totalement consacrée aux autres. Il me fallait apprendre la vie de tout le monde, la vie d'un homme marié confronté aux problèmes quotidiens. J'avais besoin de temps, de « perdre » du temps à jardiner, à tracer des chemins, à transporter des cailloux.

Jadis je n'avais pas eu de place dans ma famille. Je n'ai pas trouvé ma vraie place dans l'Église. Il me fallait trouver ma place dans la vie.

Je me reconnais bien dans la description d'André Rochais sur la non-existence et sa compensation : moins on s'aime, plus on se veut autre... Mon besoin de perfection s'était porté d'abord sur la volonté et l'intelligence — être parfait et rigoureusement logique — et ensuite sur la spiritualité par voie de conquête. Mais, grâce à mon nouvel état, j'ai pu m'approcher de mon être, de ce que je sentais en profondeur. J'ai compris que le sentiment de mon inexistence essentielle expliquait ce terrible ennui ressenti pendant toute mon adolescence, ce vide qui correspondait à la mort en moi de toute affection donnée ou reçue. On m'y avait enfermé et...

je me suis renfermé. Et j'ai dirigé mon énorme potentiel vital vers l'action, la pensée, la volonté mises au service de ma foi (et cela m'a donné beaucoup de bonheur). Mais quelle place laissais-je à ma vie propre ?

Et moi qui fonctionnais si bien au niveau de ma pensée, voilà que la présence de Mary à mes côtés m'a brusquement interpellé au niveau du « senti ». Vous imaginez quel bouleversement ! J'ai su très vite qu'il me fallait passer par là, mais comme j'en avais peur ! Que de bons prétextes pour m'échapper dans ma tête ! Se mettre totalement en question à mon âge !

Jusque-là Dieu avait occupé toute ma vie, d'abord par son insupportable absence. Je n'avais pas senti qu'Il m'aimait, sans doute parce que je n'avais pas été aimé, parce que je ne savais pas aimer. Mais L'avais-je vraiment rencontré ? C'est petit à petit, à travers l'Évangile, l'œuvre de Newman, etc. que j'ai pris conscience que sa présence m'était bien plus réelle que la mienne. Là aussi, cela m'était facile, parce que je n'existais pas. Mais alors, L'avais-je réellement rencontré ? Pour le savoir, il me fallait vivre ma vie et apaiser la blessure profonde de l'enfance.

Au début, ce fut la solitude, partagée seulement avec les enfants de Mary et quelques rares amis. Puis certains ont retrouvé ma trace et sont venus nous voir..., les uns, par fidélité, d'autres, par curiosité. Rapidement, les visiteurs ont afflué. Nous en étions heureux !

Mais, en même temps, nous restions insatisfaits. Nous passions notre temps à préparer et à servir des repas, à être disponibles à toute heure. Plus de vie à nous, de temps pour lire, écrire, réfléchir. Quant aux visiteurs, ils étaient, je crois, déçus... Ils avaient eu l'habitude de m'entendre en retraite, en conférence et à repartir nourris spirituellement, et là, ils me trouvaient accueillant, bien sûr, mais souvent muet, car je n'ai jamais eu l'art de la « conversation ». Seuls m'intéressent les vrais échanges en profondeur.

C'est alors que nous avons décidé de proposer des rencontres qui grouperaient nos amis et permettraient des réflexions, des échanges, des communications constructives.

Nous avons donc organisé chez nous des rencontres de quelques jours qui groupaient une vingtaine de personnes. Cela se faisait en été, car nous ne pouvions loger tout le monde dans notre maison. On montait des tentes pour les plus sportifs et cela se passait magnifiquement. Nous partagions notre temps entre la réflexion et la détente. Chacun confiait les sujets qui lui tenaient à cœur et on essayait de les traiter tous. Mais contrairement à mon apostolat de jadis, qui consistait à enseigner, je m'efforçais d'écouter assez profondément ce qui était dit, afin de susciter la réponse juste des participants. C'est tellement plus efficace que de dire à quelqu'un ce qu'il doit penser. Et moi, ayant parlé toute ma vie devant une assistance qui, il faut bien le dire, attendait cela de moi, voilà que j'ai appris à me taire et à comprendre que je recevais ainsi bien plus que je ne donnais.

Nous avions aussi des temps de relaxation, de promenades, seuls ou en commun, de joyeuses baignades, etc. Repas et vaisselles dans la nature étaient l'occasion de poursuivre inlassablement les échanges qui atteignaient souvent une incroyable profondeur. Ce furent des temps uniques.

Et nous avons fait cela durant quelques années avec beaucoup de bonheur... de part et d'autre si l'on en juge au nombre d'amitiés profondes et durables nouées à partir de ces rencontres.

A la demande de nombreux participants nous avons même édité un petit bulletin qui permettrait de poursuivre les réflexions entamées pendant ces journées ; c'est au moyen de celui-ci que nous avons lancé l'idée d'élargir notre accueil en fondant un centre de rencontres.

En effet, submergés par la tâche d'accueil que nous assumions tous deux entièrement, nous réalisions bien qu'il nous fallait soit débrayer, soit trouver de l'aide, et donc créer une structure permettant un accueil toute l'année.

Ce projet se présentait comme folle utopie et pourtant, grâce à la générosité de tous ces amis qui nous ont fait confiance, l'Aube, notre maison de rencontres, a ouvert ses portes en 1982. Elle a été construite à proximité de notre vieille ferme devant un paysage merveilleux et régénérant.

Pourquoi l'Aube ? Parce que nous sentons que nous sommes à l'aube de temps nouveaux. Nous croyons fermement que le vieux monde est en train de s'écrouler pour renaître à partir de petites cellules comme la nôtre, où la vie peut se déployer dans toute la fraîcheur, la pureté, l'innocence du meilleur de chacun.

Et, déjà, nous savons que nous avons eu raison d'y croire, car chaque rencontre, chaque session nous en donne la preuve. Je souhaiterais (mais c'est déjà ce qui se passe) que de nombreuses initiatives comme la nôtre voient le jour.

Deuxième partie

MA FOI

I

La foi... une expérience

Une foi adulte ?

La foi est toujours un mélange de lumière et d'obscurité.

Croire, c'est être fidèle dans les ténèbres à ce qu'on a vu dans la lumière.

Ou bien vous avez votre foi, ou bien vous avez celle d'un autre. Mais croire à la foi d'un autre, est-ce encore croire en Dieu ?

Hélas, nombre de chrétiens ont remplacé l'expérience de Dieu par une foi aveugle, par une obéissance infantile. Ils ne croient pas en Dieu, ils croient en ceux qui leur ont parlé de Lui !

Méfions-nous de la foi parce que nous n'y échapperons pas. Le seul choix qui nous est offert est soit une foi aveugle, inconsciente, soit une foi réfléchie, critique, qui prend un risque raisonnable.

Je crois parce que j'ai choisi d'adhérer à un dynamisme que je sens au fond de moi, plus vivant que moi. Ce dynamisme me relance sans cesse à aimer, à espérer, à entreprendre, malgré mes erreurs, mes échecs, mes peurs et mes fautes. Il me fait dépasser mes souffrances et même la peur de mourir.

$\diamond$

Qu'est-ce qu'une foi adulte ?

C'est d'abord une foi qui accepte les obscurités. L'enfant voit tout noir ou tout blanc, mais le réel n'est jamais ainsi. « La foi, c'est avoir assez de lumière pour porter ses obscurités », a dit Romano Guardini. Une foi adulte est, en conséquence, une foi fidèle.

C'est aussi une foi dégagée des structures. Est-ce que tu crois en Dieu ou en ceux qui t'en ont parlé ? Il faut se servir des structures, mais non se reposer sur elles. Les soutanes, le latin, ce sont des structures, il ne faut pas y attacher sa foi. L'intelligence doit être capable de dégager l'essentiel de l'accessoire. Il y a beaucoup d'accessoire dans l'Église.

Une foi adulte, enfin, est une foi engagée, une foi qui a dépassé les mots. La foi est avant tout une expérience. Mais combien de chrétiens sont comme des coques vides : ils n'ont pas encore fait l'expérience de Dieu.

Un champ à explorer

Nous ne croyons en Dieu que parce que nous avons commencé à Le connaître. Mais à partir du moment où s'est imposée à nous la réalité d'un monde spirituel, grâce à ce que nous en avons perçu, nous avons le droit de lui faire confiance pour ce que nous n'en connaissons pas encore.

Plus le champ de mon expérience s'étend et s'affine, plus le champ de ma foi grandit, et réciproquement. Parce qu'il y a en nous quelque chose qui nous provoque indéfiniment à aimer, à espérer, à chercher, à être homme, je crois que ce qui nous stimule est infiniment supérieur à ce que nous avons atteint.

La meilleure définition que je connaisse d'un chrétien : ce n'est pas quelqu'un de vertueux, d'instruit, de capable ; c'est quelqu'un qui se sait habité et dynamisé. Il respecte en lui un Autre, il vit en dialogue ; il donne gratuitement ce qu'il reçoit gratuitement

L'observation patiente, acérée, probe de ce mouvement qui nous anime, nous révèle qu'il est en nous comme s'il n'était pas de nous, que plus nous en vivons et plus nous savons qu'il ne nous appartient pas, qu'il vient d'ailleurs, et que la condition pour qu'il grandisse est de nous effacer davantage.

◇

L'amour, l'espérance, la foi sont en nous comme une communication, comme une force qui nous meut sans nous contraindre, comme une inspiration qui nous donne d'être enfin nous-mêmes.

◇

Je me reconnais dans l'expérience de tous ces hommes honnêtes, efficaces et rayonnants qui ont dit avant moi : « Ce n'est pas moi qui vis, c'est un Autre qui vit en moi. »

◇

Avoir la foi...

On n'a pas la foi comme on détient son portefeuille. Elle est une grâce de Dieu, une participation à Sa vie, offerte à tous. Ce n'est pas nous qui avons la foi, c'est la foi qui nous a, et rarement jusqu'à l'os ! Elle se propose, nous résistons ou nous nous ouvrons, mais nous ne pouvons jamais la traiter comme une chose acquise, comme une propriété dont nous disposons. La foi nous tient élevés vers Dieu dans l'attente, l'espérance, l'accueil d'une révélation inépuisable. Elle est une certaine perception de la réalité d'un monde spirituel que nous n'aurons jamais fini d'explorer.

Le lieu où Dieu me parle

Dieu est absent, mais son absence est si douloureuse qu'elle équivaut à une présence. Dieu est présent comme une exigence infinie au cœur de chacun de nous, une soif jamais contentée, une faim insatiable parce qu'elle ne trouve aucun objet à sa mesure.

Dieu nous parle à une certaine profondeur, et quand je suis interpellé à cette profondeur, je sais que c'est Dieu seul qui peut parler, agir, me rendre heureux comme cela.

Dieu crée en moi le lieu où Il se manifeste et je ne me connaissais pas cette dimension intérieure avant qu'Il s'y révélât.

Un signe qu'on commence à entendre Dieu : brusquement, on s'aperçoit qu'on était sourd et on se demande comment on a pu être sourd si longtemps. Un signe qu'on commence à voir Dieu : brusquement, on s'aperçoit qu'on était aveugle et on se demande comment on a pu résister à la lumière. La lumière luisait dans les ténèbres, c'étaient les ténèbres qui ne la saisissaient pas.

Si vous croyez en Dieu, si vous croyez qu'Il vous inspire, qu'Il vous stimule incessamment à devenir celui qu'Il aime en vous, comment pouvez-vous ne pas être rempli d'espérance et d'élan ?

Ce n'est que par notre expérience que nous pourrons reconnaître l'expérience du Christ. C'est l'action qui décidera. Car, comme le dit admirablement Bonhöffer : « Nous ne saurons jamais ce que nous ne faisons pas. » Toute vérité, si sublime et d'origine divine soit-elle, ne deviendra jamais nôtre que si nous l'avons mise en pratique.

Jésus est pour la méthode expérimentale : « Venez et voyez ! » Il nous engage à faire nous-mêmes l'expérience de ce qu'il nous propose.

Expérience de liberté : « Si vous vous attachez à ce que je vous ai dit..., vous connaîtrez la vérité et la vérité vous rendra libres. » Car vous aurez un guide intérieur, une référence personnelle à la vérité. Vous ne dépendrez plus d'un Maître ou d'un livre.

Expérience de vie : « Si tu veux entrer dans la vie... » « Si quelqu'un veut faire la volonté de mon Père, il saura, pour ce qui est de cette doctrine, si elle est de moi ou de Celui qui m'a envoyé. » Vérifiez par vous-mêmes !

Expérience de bonheur : « Heureux serez-vous si vous faites ces choses... »

Expérience de fécondité : « Vous recevrez au centuple... »

Expérience de fraternité : « Là où deux ou trois sont réunis en mon nom, je suis au milieu d'eux. »

Ce que je connais de Toi

La foi ne peut jamais être totale. Elle sait qu'elle n'épuise jamais son objet parce que ses forces sont limitées et que son objet ne l'est pas.

◇

La foi religieuse, comme la foi conjugale, s'exprime en disant :

A cause de ce que je connais de Toi, je Te fais confiance pour ce que je ne connais pas encore.

A cause de ce que j'ai compris de Toi, je Te fais confiance pour ce que je ne comprends pas encore.

Je Te fais confiance au-delà de ce que je connais de Toi et de ce que je connais de moi !

◇

La foi n'est pas un capital que nous recevrions au baptême et sur lequel nous pourrions vivre. La foi est une réalité vivante et toujours nouvelle, comme le Dieu à qui elle s'adresse. Elle est l'acte de confiance que nous faisons à Dieu chaque jour et à chaque instant du jour, en nous efforçant de Le voir en tout événement qui survient, en tout homme qui nous approche, en toute pensée qui surgit, en tout sentiment qui s'éveille en nos cœurs. Il importe peu que l'événement soit d'abord jugé heureux ou malheureux, l'homme sympathique ou antipathique, la pensée intéressante ou ennuyeuse, le sentiment noble ou mesquin. Dieu nous parle aussi bien dans la catastrophe que dans le succès, dans l'importun que dans l'ami, dans le saint que dans le pécheur. Nous n'avons pas à faire un choix dans le tissu de notre vie pour décréter que tel événement est digne de foi et non pas tel autre : c'est en toute notre vie qu'il nous faut découvrir Dieu.

La foi nous rend la vie et le monde transparents à Dieu, significatifs de Dieu, révélateurs de Dieu. Elle fait de nous les vrais contemplatifs : ceux pour qui Dieu n'est pas seulement une apparition ou une rencontre passagère, mais un compagnon et un ami.

II

La foi en Dieu

La vraie question

Je ne vous demande pas si vous croyez en Dieu. Cela m'est totalement indifférent. Il y a tant de dieux, et de si mauvais, des dieux qui ont justifié, commandé les pires atrocités.

La vraie question est : en quelle sorte de Dieu pouvez-vous croire ? Si vous vous mettiez à croire, en quel Dieu vous complairiez-vous ? Quel serait le Dieu auquel vous aimeriez ressembler ?

Rien n'est plus important que l'idée que nous nous faisons de Dieu. Car nous deviendrons le Dieu que nous imaginons. Chaque homme se fait, explicitement ou implicitement, une certaine conception de Dieu, ou du

61

bonheur, ou de ce qu'il voudrait devenir. Il importe de la mettre au jour et de l'examiner. Dieu n'est jamais que l'aveu de nos ambitions ou de nos intérêts.

◇

Jésus a été crucifié par le plus religieux des peuples et par les plus hautes autorités sacerdotales parce qu'il est resté fidèle à l'image de Dieu qu'il s'était faite, et parce que eux sont restés fidèles à la leur.

◇

Vous pouvez dire « non » à Dieu sous la forme d'une église, d'un prêtre, mais vous Lui avez peut-être dit « oui » sous la forme de la justice, de l'amour, de l'amitié. Vous avez dit « oui » à Dieu sans Le reconnaître expressément. Vous Lui avez dit « oui » sans Le nommer.

◇

Dieu sera toujours au-delà de ce que nous pensons de Lui. Mais, comme l'écrit le père de Lubac : « Les idées que nous nous faisons de Dieu sont comme les vagues de la mer sur lesquelles le nageur s'appuie pour les dépasser. » Il faut toujours les dépasser.

Le Dieu qui nous intéresse

Le Dieu qui nous intéresse est celui qui nous est intérieur. Ni confondu, ni séparé. Il dynamise notre recherche. Nous Le découvrons dans les autres comme ils Le découvrent en nous. Il nous constitue tous en ce que nous avons de meilleur.

C'est à cette profondeur où chacun de nous voit s'ouvrir une dimension infinie et se reconnaît comme un être unique que s'établit une communion au-delà de toute différence. Seule cette part de l'homme où Dieu transparaît peut fonder la communauté humaine par notre rencontre avec les autres dans l'espérance et le respect.

Ce que j'ai compris de Jésus : on ne rencontre Dieu que dans l'homme. Plus nous serons entrés dans notre humanité et aurons reconnu et suscité celle des autres, plus nous pénétrerons dans la sphère divine. Le seul moyen de contempler les merveilles de Dieu, c'est d'explorer les profondeurs de l'homme « en qui réside corporellement toute la plénitude de la divinité » (Colossiens 2, 9).

Dieu n'est pas jaloux de l'homme : Il considère comme fait à Lui-même ce qui est fait au moindre des siens.

Dieu ne remplace rien. Dieu ne se substitue à personne. Dieu ne veut pas nous « tenir lieu de tout », mais nous ouvrir à tous. Il s'est fait homme, et on ne l'aime de manière réaliste que dans l'homme.

L'absolu est en ce monde : Dieu y est incarné. Il nous incombe de Le révéler, de libérer en chaque homme le Dieu qui, pour se manifester, doit y être reconnu, respecté, aimé.

Je fais crédit à Dieu

A cause de ce que je connais de Dieu, je Lui fais crédit pour ce que je ne connais pas encore. A cause de ce que je comprends de Lui, je Lui fais confiance pour les nombreuses choses que je ne comprends pas encore.

Il n'est pas vrai que Dieu soit juste : Il ne récompense pas les bons, Il ne punit pas les méchants. Il est plus que juste : Il justifie les méchants, Il les rend justes.

Les croyants conçoivent l'action de Dieu comme permanente et respectueuse de notre liberté. Dieu nous a tout donné depuis toujours. Dieu nous inspire constamment et nous l'écoutons parfois. Dieu propose sans cesse, et nous disposons à notre gré. Dieu nous prie, et nous l'exauçons... ou pas.

L'absence de Dieu dont se plaignent nos contemporains, c'est l'absence de nos frères. Nous Le trouverons dans les autres et les autres Le trouveront en nous.

Tu ne dois pas chercher Dieu, car tu Le fuis en supposant qu'Il est ailleurs qu'en toi, depuis toujours.

Dieu, dans notre siècle, circule souvent incognito. Nous, ses fidèles, nous Lui avons fait une si mauvaise réputation qu'Il est réduit à la clandestinité. Il est bien reconnu par des gens simples, des pauvres, des prolétaires, sous le nom de solidarité, de justice, de vérité et d'amour. Mais Il se fait généralement expulser dès qu'Il décline son identité officielle.

III

Foi et athéisme

De quel Dieu êtes-vous athée ?

De quel Dieu êtes-vous athée ?
L'homme devient athée quand il est meilleur que le Dieu qu'il sert. Si vous croyez en un Dieu qui récompense les bons et qui punit les méchants, vous devriez être athée, parce que j'espère que vous valez mieux que ça. Et votre pire châtiment serait de devenir semblable au Dieu auquel vous croyez : « Moi je suis comme mon Dieu, Monsieur, je récompense les bons et je punis les méchants... »

Il faut être athée d'un certain Dieu pour en avoir un vrai. L'ancien catéchisme enseignait que Dieu récompense les bons et punit les méchants. Rien n'est plus faux. Si, pour vous,

Dieu punit les méchants et récompense les bons, vous faites de Dieu un païen. Lisez l'Évangile. Que dit le Christ? « Si tu aimes ceux qui t'aiment, si tu salues ceux qui te saluent, et si tu prêtes à ceux qui te rendent, tu es un païen. Les païens agissent ainsi. » Si Dieu se borne à ce rôle de commerçant et de juge, c'est un dieu païen.

Le Christ était athée de tous les faux dieux qu'on avait enseignés avant lui. C'est pour cela qu'on l'a crucifié, sous accusation de blasphème, sous accusation d'athéisme.

Le Christ nous montre que Dieu est celui qui sert. Ce n'est pas toi qui vas t'occuper de Dieu, c'est Lui qui s'occupe de toi. Il te sert, te lave les pieds. Et toi, tu Le laisses te nourrir, tu Le laisses se déployer en toi. Ainsi tu Le rends présent aux autres.

« Je vous ai donné l'exemple pour que vous fassiez de même. » Le Christ dit à Pierre : « Si je ne te lave pas les pieds, tu n'auras pas de part avec moi. » Il n'y a pas d'athée de ce Dieu-là.

Le pire ennemi actuel de la foi n'est pas l'athéisme, mais la crédulité. Certains s'interrogent : « Est-il possible de croire encore aujourd'hui ? » Ils feraient mieux de se demander : « Est-il possible de ne pas croire ? Ou, au moins, de ne pas croire aveuglément ? » Certes, notre époque ne manque pas de foi. Elle est au contraire enivrée, ensanglantée, déchirée par d'immenses mouvements de foi passionnelle, violente, oppressive, intolérante. Mais est-ce là une foi qui sauve ou une foi qui tue ?

Le vrai débat

L'homme est-il ou non habité par la transcendance ? Le vrai débat entre athées et croyants est là : y a-t-il en l'homme un dynamisme qui lui fait affirmer à chaque instant l'existence d'une vérité et d'un bien absolus, qui le pousse à se dépasser, à dépasser le temps, la vie, la mort ?

Le véritable athée n'est pas celui qui dit que Dieu n'existe pas. Comment d'ailleurs prouver une telle négation ? De quel droit nier une existence parce que nous ne l'avons pas constatée ? Le véritable athée n'est pas celui qui nie un Dieu créateur, tout-puissant et immuable, mais celui qui nie la transcendance de l'homme, son exigence d'infini. Tandis que le véritable croyant n'est pas celui qui affirme l'existence de Dieu, mais celui qui respecte et révèle en chaque homme une valeur sacrée que la vie biologique ne peut ni donner ni ôter.

◇

La division n'est plus entre ceux qui croient en Dieu et ceux qui Le rejettent, mais entre ceux qui croient en l'homme et ceux qui le dénaturent en l'adorant ou en niant sa relation essentielle à l'absolu. La transcendance est-elle un élément constitutif de la nature humaine qui l'ouvre au mystère d'une Présence-Absence, ou bien l'homme est-il un être limité qui doit trouver son contentement et son sens dans une vie courte, une ignorance vertigineuse et de pauvres tentatives d'amour ?

◇

Tous les athéismes modernes sont des doctrines de Salut. Que peut-on faire pour l'homme ? Comment justifier le travail, la société, l'avenir de l'homme ? Les athées refusent Dieu parce qu'ils pensent que la religion est toute centrée sur Dieu, sur le culte de Dieu.

Le christianisme, au contraire, est tout centré sur l'homme.

Pour le chrétien, seul l'homme est sacré. Dieu s'est fait homme.

◇

Un homme moderne, c'est un homme fier. On a défini l'athéisme moderne : « La redécouverte de la dignité humaine ».

Comme il a fallu que nous, chrétiens, trahissions l'homme, comme il a fallu que nous, chrétiens, prêchions un faux dieu menaçant, méchant, redoutable (un dieu qui damne, qui punit, qui se venge), pour qu'il soit nécessaire aujourd'hui de devenir athée pour redécouvrir la dignité humaine ! Alors que notre Dieu était Celui « qui avait merveilleusement créé la dignité de la nature humaine et qui l'a restaurée plus merveilleusement encore ».

IV

Foi au Christ

Ce qui me convertit à Jésus

Ce qui me convertit à Jésus et me convainc de son inspiration divine, ce n'est pas le miracle de sa résurrection, c'est sa vie, son message, sa mort.

Comme le larron, comme le centurion, comme les foules qui se frappaient la poitrine en retournant à Jérusalem, je crois en Jésus avant qu'il ne fût ressuscité.

Je crois à la révélation de Dieu dans cet homme pleinement homme, faible et fort, courageux et persécuté, indépendant des pouvoirs, fraternel à tous, homme comme je n'en connais pas d'autre, homme mortel qui nous fait accepter notre mort si nous vivons de la même vie que lui, de cette vie qui lui fit accepter sa mort.

Il n'y a pas eu une Incarnation, brusquement décidée d'en haut. « Au commencement était le Verbe. »

De toujours à toujours, Dieu se propose à l'homme, Dieu se donne, Dieu se livre et l'homme Le repousse.

Mais quelques hommes se sont ouverts à Dieu et un homme, Jésus, est devenu perméable, transparent, diaphane à Dieu au point d'oser dire : « Qui me voit voit le Père. »

Je crois que Jésus a vécu de Dieu parce qu'il unit harmonieusement les deux dimensions capitales de la vie : une intense intimité avec Dieu et l'accueil le plus aisé, le plus attentif, le plus chaleureux à tous les perdus, les exclus, les petits, les méprisés, tous les hommes en instance de résurrection.

Ce qui nous touche le plus profondément en Jésus, c'est son humilité, l'affirmation de sa radicale impuissance : « De moi-même je ne puis rien faire... Selon ce que j'entends, je juge... Je ne dis rien de moi-même... Ce que je dis, je le dis tel que mon Père me l'a dit. »

◇

Là où Jésus nous dépasse le plus, c'est dans sa totale réceptivité.

Jésus me révèle à moi-même

Le vrai motif de la foi en Jésus, ce ne sont pas ses miracles, sa sagesse ou sa vertu, c'est que ses paroles m'introduisent à ma vérité, me révèlent à moi-même, retentissent en moi comme si elles surgissaient du dedans. Je vérifie en moi leur justesse à mesure qu'elles se prononcent et je les reconnais sans les avoir jamais entendues. « Personne ne m'a parlé comme cet homme ! »

Le Christ a-t-il déterminé une mutation de la nature humaine (à un certain moment de l'Histoire et au profit de quelques hommes), ou est-il essentiellement la révélation de la vérité de l'homme ? Vérité permanente, donc préexistante mais qui, comme toute vérité, doit être vécue, exprimée, manifestée par un homme pour que tous les hommes la reconnaissent et se mettent à en vivre.

◇

Les révélations religieuses sont de même nature que les révélations poétiques, musicales ou littéraires. La beauté existe en chacun comme un appel, une aspiration, un besoin.

Un artiste l'exprime, au bénéfice de tous les autres, qui découvrent enfin ce qu'ils attendaient. Le Christ est le grand artiste de Dieu. En révélant Dieu comme Amour, croyez-vous qu'il fut un messager descendu du ciel, ou l'accoucheur de ce qui travaillait l'humanité depuis toujours ?

A quoi pouvons-nous vraiment adhérer sinon à une expérience actuelle, à une vie dont nous avons le goût, à ce dont nous avons une connaissance personnelle ?

Mais quel effort d'imagination pour vivre en communion avec un individu du passé !

Je propose de dire : je n'adhère pas à un personnage du passé, mais j'adhère à la vie dont Jésus a vécu et dont je vis actuellement si peu que ce soit. Je ne vis pas de Jésus, mais je vis de la même vie que lui, cette vie de l'Esprit qu'il nous a révélée et garantie. Je vis, infiniment moins, bien sûr, du même Esprit dont Jésus a vécu.

L'œuvre des chrétiens n'est pas de répéter : « Christ est ressuscité il y a deux mille ans ! », mais de dire et de montrer où il vit, où il parle, où il agit aujourd'hui.

Le Christ incognito

« Ce que tu fais pour le moindre des miens, c'est à moi que tu le fais... » dit le Christ à ceux qui l'ont secouru dans les autres. Voilà la Révélation chrétienne. Les chrétiens ne l'ont pas avalée : ils professent la moitié du christianisme en admettant que le Christ est Dieu ; mais ils refusent l'autre moitié : le Christ est homme.

Matthieu (25, 31) nous enseigne qu'on peut vivre du Christ sans l'avoir reconnu. « Il n'est pas très important, écrit Robinson, qu'au dernier jour nous disions au Christ : "Je ne t'ai pas connu" — Mais il est capital d'avoir rendu le Christ présent, même incognito, dans un geste de respect et d'amour. »

Il n'est pas grave que le Christ ne soit pas nommé, mais il est terrible qu'il ne soit pas re-présenté. On connaît Dieu, en vérité, non par la profession de la foi, mais par le partage de ses goûts, de ses mœurs, de sa mentalité — et ce sont les Béatitudes.

V

Foi et christianisme

Le Copernic de la religion

Le Christ a cherché en vain la foi là où il aurait dû la rencontrer : chez les prêtres, les dévôts, les gens les plus religieux, les plus fervents de l'époque, pharisiens, scribes, théologiens, sanhédrin.

Et il l'a découverte en abondance là où nul ne l'aurait soupçonnée : chez des pécheurs (et des pêcheurs), des publicains, des courtisanes, des étrangers, des païens.

Si Jésus avait seulement enseigné, comme nous le faisons tous, qu'il y a deux commandements bien distincts, qu'il faut honorer Dieu (à Lui le règne, la puissance et la gloire !!!) et aimer son prochain, il n'aurait heurté personne. Il serait mort de vieillesse, décoré, membre du sanhédrin, approuvé par toutes les hiérarchies civiles et religieuses.

Pour nous, l'Évangile abolit le culte de Dieu, les temples, les sacrifices, les pratiques religieuses. Il les remplace par le « grand commandement » qui est le service de l'homme. Il ne s'agit nullement de supprimer le premier commandement, mais de révéler que ce premier commandement ne s'accomplit que dans le second.

Le Christ, dans l'Apocalypse, dit : « Voici que je suis à la porte et que je frappe. Celui qui m'ouvrira, j'entrerai chez lui, je prendrai avec lui le repas du soir. »

Ainsi :

Ce n'est pas vous qui servez Dieu, c'est Lui qui vous sert.

Ce n'est pas vous qui appelez Dieu, c'est Lui qui vous appelle.

Ce n'est pas vous qui cherchez Dieu, c'est Lui qui vous cherche.

Ce n'est pas vous qui aimez Dieu, c'est Lui qui vous aime.

Ce n'est pas vous qui nourrissez Dieu, c'est Lui qui vous nourrit.

Ce n'est pas vous qui demandez pardon à Dieu, c'est Dieu qui vous demande d'accepter son pardon.

Le Christ est transcendant parce qu'il a transcendé toutes nos mauvaises façons de nous transcender. Nous voudrions toujours nous transcender en devenant riches, invulnérables, indépendants, et le Christ a révélé qu'il n'y a qu'une transcendance, c'était de devenir plus aimants, plus serviables, plus responsables des autres.

Le Christ, c'est le Copernic de la religion.

Avant le Christ, la religion était centrée sur le culte de Dieu. Comment trouver grâce devant Dieu, comment apaiser Dieu, comment me concilier Dieu ?

La réponse du Christ : tu veux trouver grâce devant Dieu ? Trouve grâce devant ton frère, sois gracieux avec ton frère. Tout ce que tu fais pour ton frère, tu l'as fait pour Dieu, Dieu te gardera une récompense éternelle d'un verre d'eau donné à un de ses petits.

Tes relations avec tes frères sont la révélation de tes relations avec Dieu.

◇

Le Christ a sacralisé l'homme et désacralisé tout le reste.

La religion des chrétiens

La révolution chrétienne consiste en ceci : avant Jésus, Dieu et les chefs commandaient en maîtres, exerçaient le pouvoir, se faisaient servir et encenser. Jésus révélait un Dieu « doux et humble de cœur », un Dieu qui aimait sans qu'on l'aime, un Dieu qui se faisait le dernier et le serviteur des hommes, un Dieu qu'on imiterait en servant et en aimant sans chercher de retour.

Mais sous le choc de ce scandale, la plupart des chrétiens se sont dit : « Comme notre Dieu est bon ! Comme notre Dieu est encore meilleur que nous ne l'avions pensé ! Eh bien, nous allons l'aimer, le servir et l'honorer cent fois plus qu'avant car Il le mérite bien ! » Et ils ont retourné vers Dieu tout ce que Dieu leur avait demandé de faire pour les hommes !

Avez-vous fait, pour votre religion, un effort d'assimilation personnelle ? Le signe d'une assimilation personnelle, c'est la crise. Quand on vous « inocule » une Révélation, si vous trouvez cela tout naturel, c'est qu'elle ne vous a pas atteint.

Réclamez-vous de Dieu des signes de puissance ? Alors vous êtes affamés de visions, d'apparitions, de lévitations, de guérisons spectaculaires, de stigmates et de bilocations, tous sous-produits de la religiosité. Ou bien Le reconnaissez-vous à des signes d'amour ? Alors vous Le trouverez dans le plus humble de vos frères.

Beaucoup de chrétiens ne sont pas chrétiens. Ils appartiennent à une religion sociologique. Leur éducation religieuse a servi à les dispenser de faire une rencontre personnelle. C'était tout fait, ils n'ont plus eu qu'à s'installer dans une religion établie. C'est exactement ce que le Christ n'a pas voulu.

Pourquoi suis-je fidèle au Christ ?

Première raison : par lui Dieu s'est montré à nous comme un enfant, un bébé. Dieu est quelqu'un d'aussi offert, d'aussi livré, d'aussi vulnérable qu'un enfant. Peux-tu conseiller à Dieu une meilleure manifestation que de se montrer à toi comme un enfant ? Une manifestation dans laquelle Il te dit : « Tu peux Me faire du mal, mais Moi, Dieu, Je ne te ferai jamais de mal. »

Seconde raison : Dieu, c'est le Crucifié, et la crucifixion signifie exactement la même impuissance que l'enfance. Un crucifié, c'est quelqu'un à qui on a cloué les mains et les pieds, et qui est totalement livré au bon vouloir des autres.

Et la troisième raison : Dieu c'est ce morceau de pain à partager. Est-il possible que

Dieu soit bon comme du pain, livré comme du pain, serviable comme du pain ?

L'au-delà de la religion

Le moyen de se débarrasser de ce qu'il y a de mauvais dans la religion ne consiste pas à tout rejeter, mais à dépasser.

La question fondamentale aujourd'hui me semble la suivante : le christianisme est-il une religion particulière, rivale de toutes les autres, ou une vérité humaine capable de faire l'unité du monde et d'aider toutes les sagesses et toutes les religions à se dépasser dans la reconnaissance d'une valeur universelle ? Jésus a-t-il fondé une religion ou les a-t-il toutes abolies en proclamant qu'il faut détruire les temples, parce que le vrai temple de Dieu c'est l'homme ? Qu'il faut cesser le culte parce que le vrai service de Dieu, c'est le service de l'homme ? Qu'il faut transgresser la loi parce que la seule loi est : « Aimez-vous les uns les autres » ?

Les églises continueront-elles à fonder leur foi sur des souvenirs d'interventions historiques indéfiniment contestables, ou bien s'attacheront-elles au Dieu vivant aujourd'hui au cœur de tous les hommes, et que les témoins du passé nous aident à reconnaître dans le présent ?

Chaque religion continuera-t-elle à revendiquer l'exclusivité de sa relation avec Dieu, ou bien les religions s'uniront-elles enfin pour proclamer cette bonne nouvelle : Dieu est meilleur qu'on ne l'avait cru, Il se communique à tous, à chaque instant et de toutes les manières, ce n'est pas Lui qui se refuse, mais nous qui Lui résistons, et il n'est pas trop de tous les mystiques, de tous les artistes, de tous les philosophes, de tous les chercheurs et de tous les hommes de prière et de dévouement pour nous apprendre ce que Dieu ferait en nous si nous Le laissions faire ?

VI

Le croyant à l'épreuve de la foi

La foi, un choix

La foi est un choix. Il est possible de vivre sans adhérer à ce dynamisme, en spectateur qui refuse de s'engager. Nous avons cet étrange pouvoir de faire sécession vis-à-vis de cet élan qui s'affirme en nous et de vivre au rabais, dans cette contradiction fondamentale de prétendre profiter de la vie alors qu'on la nie. La foi, l'espérance, l'amour sont inhérents à l'homme, et l'homme ne cesse de les combattre.

S'opposent à la foi :
— le fanatique qui ne se pose pas de question parce qu'il croit avoir toutes les bonnes réponses et ne supporte pas le doute,

— le sceptique qui ne se pose pas de questions parce qu'il croit qu'il n'y a pas de réponses,

— l'indifférent qui ne s'intéresse ni aux questions ni aux réponses.

La foi, le doute

La foi est un doute surmonté. Si vous n'avez pas de doute sur votre foi, cela prouve simplement que vos idées, ou celles de votre milieu, coïncident bien avec celles de Dieu (de « votre Dieu »). Mais alors il est indispensable de dire si vous croyez en Dieu ou simplement en vous. Quand il y a une divergence, quand les idées de Dieu ne sont pas les vôtres, quand vous trouvez que Dieu a d'étranges idées, alors, pour la première fois, vous avez l'occasion (bonne ou mauvaise) d'un acte de foi : croire en Lui et non en vous.

L'amour est un conflit surmonté, une agressivité maîtrisée, une déception dépassée. Tant que deux amoureux ont le même plaisir à être ensemble, impossible de dire si l'un aime l'autre ou seulement son propre plaisir. C'est à partir du moment où ils n'ont plus les mêmes goûts, les mêmes idées, les mêmes désirs, c'est au moment où ils doutent de s'aimer encore qu'ils ont, enfin, l'occasion d'aimer l'autre et non leur plaisir.

◇

Le doute, dans la foi, ne se surmonte jamais définitivement. Il renaît à chaque étape de croissance. En faisant confiance, malgré mes opinions, est-ce que je fais un progrès vers la vérité ou une régression vers la soumisssion infantile ?

◇

La vraie foi est la capacité de vivre avec ses doutes. Si vous n'avez pas de doute, vous n'avez pas la foi : vous êtes dans l'évidence... ou dans l'illusion !

◇

La foi est un mélange de lumière et d'obs-curité : assez de lumière pour admettre, assez d'obscurité pour refuser, assez de raisons pour porter ses objections, assez d'espérance pour endurer son désespoir, assez d'amour pour porter sa solitude et ses frustrations.

◇

Seule la foi nous fait avancer. Nous préfé-rons souvent être en pleine lumière ou en pleine obscurité. Mais la condition humaine est de cheminer sans renier dans les ténèbres ce qu'on a vu et ce qu'on reverra dans la lumière.

◇

Nous ne pouvons choisir qu'entre une foi aveugle et une foi critique. Pas de vie sans manque, pas d'amour sans frustration, pas de foi sans doute, pas d'homme sans faute.

Le doute, considéré comme un péché et proscrit par les religions comme par les idéologies, est le signe que la foi se réfère à son véritable objet : la Vérité que personne ne possède entièrement, l'Infini jamais épuisé.

Un coefficient d'incertitude

Celui qui ne supporte aucun doute ne supporte pas la foi. L'étendue de nos doutes est l'espace libre pour notre progrès de foi.

Celui qui dit tout le Credo d'une coulée, sans difficulté, je crains qu'il n'y ait pas beaucoup réfléchi. Celui qui croit à tout, peut-être ne croit-il à rien.

Toute foi doit être relativisée par un coefficient d'incertitude. Elle comporte questions et doutes et n'a jamais fini de se « réformer ».

Ne confondons pas Dieu avec l'idée que nous nous en faisons, ni la vérité avec la manière dont nous l'exprimons !

Les questions de la foi : « As-tu assez de lumière pour porter tes obscurités ? » Si tu n'as que des obscurités, tu n'as pas de foi. Si tu n'as que de la lumière, tu es dans l'évidence.

La foi est une décision libre : il faut choisir de croire sans nier les raisons de douter. S'engager comporte des risques, mais on ne devient un homme qu'en prenant des risques.

La foi, la croix

Un chrétien ne vise pas la croix, mais l'affronte comme un accident prévisible dans son genre de travail. Il ne meurt que pour ressusciter, pour grandir, pour « monter » humainement.

Il y a une mort qu'il ne faut jamais rechercher, celle qui est stérile autant qu'elle nous est odieuse : « embrasser la croix... » « chercher l'abjection... » « mourir à la nature ! » Mais il y a une mort qui est fidélité, foi, don, amour et qui prolonge au centuple une action. Il y a un retranchement destructeur mais un émondage fructifiant. Tout cela n'est-il pas autant humain que chrétien ?

VII

Foi et vie éternelle

Une vie éternelle, qui en veut ?

Notre époque est la première dans l'Histoire à vivre sans les deux valeurs suprêmes dont ont vécu toutes les autres : Dieu et la vie future. Les seules qui l'intéressent sont l'homme et la vie présente. « Nous ne demandons pas s'il y a une vie après la mort, mais y a-t-il une vie après la naissance ? »

Les chrétiens prétendent toujours croire « à la résurrection de la chair et à la vie éternelle », mais avec un tel manque d'intérêt que c'est exactement comme s'ils n'y croyaient pas : ils n'y pensent jamais !

Plutôt que de mettre en doute leur foi en la

résurrection, il faudrait commencer par mettre en question leur désir de ressusciter.

Qui a envie de vivre toujours ? Qui trouve la vie assez bonne pour la vouloir infinie ? Y a-t-il dans votre vie quelque chose que vous souhaitiez éterniser ?

Parmi les gens que vous rencontrez, affairés, blasés, inquiets, en connaissez-vous qui ont l'air de tenir à ce que cela dure toujours ?

Une vie éternelle ? Qui en veut ?

La foi est terriblement inquiétante : pas seulement par ses sanctions éternelles, mais déjà, simplement, pour des hommes surmenés qui ont perdu le goût de vivre, par la pensée de toute une éternité à remplir ! Avec quoi ? Quelles seront, parmi leurs expériences, celles qu'ils voudraient indéfiniment prolonger ? Qui trouve sa vie assez bonne pour la vouloir infinie ?

Il est beaucoup plus simple, plus reposant, plus « consolant » de croire à un anéantissement.

Combien d'hommes ne tiennent pas tellement à se perpétuer ? L'immortalité, pour eux, est une menace et un poids, bien plus qu'une promesse ou une consolation.

Notre foi, notre espoir de résurrection pour nous et pour les autres, dépend étroitement de notre capacité d'aimer. A quoi tenons-nous assez pour l'éterniser, et pour nous éterniser avec lui ? Je veux dire : existe-t-il un être, une cause, un état d'âme, que vous estimez assez pour désirer qu'il fasse partie de votre éternité ? Et existe-t-il un être que vous aimez assez pour vivre éternellement avec lui ?

La vie éternelle a déjà commencé

C'est tout de suite qu'il faut mourir et ressusciter... ou jamais.

Dieu n'a pas créé le monde pour le détruire, ni l'homme pour l'anéantir. Si Dieu existe, tout ce qu'il a créé est destiné à demeurer toujours.

Nous ne croyons pas à une vie *future,* mais à une vie *présente,* une vie immédiatement éternelle, une autre vie que la vie biologique, une vie dont on ne peut vivre toujours et pour laquelle on pourrait mourir tout de suite.

La vie éternelle n'est pas une vie après la mort. Elle est la vraie vie, si profonde et si intense que rien de physique ne peut l'ôter, comme rien de physique ne peut la donner.

C'est celle dont le Christ parle quand il dit :
« Celui qui croit en moi a la vie éternelle...
Celui qui garde ma parole ne verra jamais la
mort... Si quelqu'un mange de ce pain, il
vivra éternellement. » C'est celle dont les
Apôtres vivaient quand ils nous confiaient
leur expérience : « Quiconque aime est né de
Dieu... Il y a un signe que nous sommes
passés de la mort à la vie : c'est que nous
aimons nos frères. »

Jésus ne demande pas à Marthe, devant
Lazare mort, de croire à la « résurrection au
dernier jour ». La vraie foi qu'il exige d'elle,
comme de nous, est de croire que « quiconque vit et croit en lui ne meurt pas, ne mourra
jamais ». « Crois-tu que je suis la résurrection
et la vie ? Crois-tu que je puisse ressusciter ce
mort que tu es, ces morts qui t'entourent ?
Crois-tu que je puisse te faire connaître une
vie dont tu souhaites vivre sans fin ? »

Jésus décrit peu l'après-vie et en termes très
conventionnels : un banquet, des noces, une
fête de vin nouveau, le Paradis, le sein
d'Abraham, des récompenses en villes ou en
argent, des châtiments pour les méchants.
Mais ce sur quoi il insiste constamment, c'est
l'urgence d'une conversion immédiate qui
nous fait, dès maintenant, membres du
Royaume et vivant d'une vie qui ne verra
jamais la mort.

VIII

Foi et résurrection

La chair...

La Résurrection et l'Incarnation sont un seul et même mystère : la résurrection est l'incarnation perpétuée, mais dans une chair incorruptible et vivifiante.

Saint Paul définit le chrétien : celui qui croit à la résurrection de la chair. Et saint Jean : celui qui confesse Jésus-Christ fait chair. C'est la même foi, le même credo.

Le chrétien moderne ne vit pas de la foi en la résurrection de la chair. Il croit plus à l'immortalité de l'âme qu'à la résurrection des corps.

Mais l'Évangile ne parle pas de l'immortalité de l'âme. Pour lui, c'est à l'homme tout entier que le Christ assure une éternité bienheureuse.

◇

Jésus ose qualifier les Juifs d'infidèles (particulièrement les sadducéens), malgré leur monothéisme fanatique, parce qu'ils refusent de croire au Dieu qui ressuscite les morts. Voilà le seul vrai Dieu !

...au sens biblique

Beaucoup de chrétiens confondent la résurrection de la chair avec la résurrection des corps, et, forcément, ils la rejettent dans un futur, un avenir indéfini.

◇

La résurrection de la chair est résurrection de l'homme tout entier, ne la confondons pas avec la résurrection de l'organique ! Le sens biblique de « chair » est « l'homme », considéré dans sa faiblesse naturelle. L'âme est aussi bien « chair » que le corps. Quand vous dites que le Verbe s'est fait chair, vous affirmez qu'il s'est fait homme.

Nous devrions espérer avec impatience, non la disparition de cette matière (qui fait que nous sommes nous), mais son assouplissement, sa libération, son assomption. Nous attendons la spiritualisation de nos corps.

Expérience de la résurrection

Tu crois à la résurrection ? Cela ne veut rien dire.

As-tu fait l'expérience d'une résurrection ? Quelqu'un t'a-t-il ressuscité ? C'est parce que j'ai l'expérience d'une résurrection que j'y crois. Voyez l'Évangile : le Christ les a ressuscités parce qu'il les a aimés.

Est-ce que quelqu'un t'a déjà aimé assez pour te ressusciter ? Est-ce que quelqu'un t'a déjà pardonné de telle façon qu'il te fasse connaître, après le pardon, une joie que tu ignorais avant ?

◇

Un premier signe qu'on est ressuscité : brusquement on s'aperçoit qu'on était mort. Tant qu'on est mort, on se trouve bien, on n'a pas mal, on ne souffre pas, on ne sent rien. On ne fait même pas de péché : on est mort.

Mais quand on est ressuscité, brusquement, on s'aperçoit qu'on était mort, et on se demande : « Comment ai-je pu vivre ainsi ? Je n'aimais rien, je ne croyais rien, je n'attendais rien, je ne voulais rien et je me jugeais bon chrétien. »

Et un second signe : tu t'ouvres à une vie éternelle. Brusquement, tu connais une vie qui pourrait durer toujours. Parce que l'éternité commence tout de suite. Le Christ dit : « Celui qui entend ma parole ne verra jamais la mort. Celui qui croit en moi, fût-il mort, vivra. »

La résurrection, ou la libération de la mort, est-elle une intervention extérieure de Dieu, ou n'est-elle pas plutôt une dimension d'une vie d'amour ? L'amour est plus fort que la mort, non par une décision arbitraire de Dieu en faveur des baptisés, mais parce que l'amour est une communication de la vie même de Dieu, dès ici-bas.

Ne nous demandons pas si nous serons vivants après notre mort. Demandons-nous si nous serons vivants *avant* de mourir.

Nous ressusciterons aujourd'hui, ou nous ne ressusciterons jamais.

Dieu ne nous récompensera pas. Dieu ne nous punira pas. Nous serons éternisés.

On ne naît qu'à la profondeur où l'on a su mourir.

Une seule expérience de résurrection, et on ne craint plus la mort.

C'est le vide de la vie qui fait la peur de la mort.

Dynamique biblique de la Résurrection

Sa résurrection, Jésus avait expliqué aux disciples d'Emmaüs qu'elle était prophétisée par l'Écriture : « Ne fallait-il pas que le Messie souffrît pour entrer dans sa gloire ? Et commençant par Moïse et continuant par tous les prophètes, il leur expliqua, dans toutes les Écritures, ce qui Le concernait. » (Luc 24, 26-27.)

Paul affirme aussi que « le Christ est ressuscité conformément aux Écritures » (I Cor. 15-4).

Ces Écritures, sont-elles seulement Isaïe et quelques rares versets de Psaumes que Pierre cite dans son premier discours des Actes (2, 24-28 et 34-35) ? Ou bien ne se réfèrent-elles pas plutôt à l'ensemble de l'Histoire Sainte : mort, ensevelissement, résurrection, ce dessein se répète à travers l'aventure du peuple de Dieu. Dès l'origine : création, chute, annonce d'un sauveur, multiplication des hommes, dépravation et déluge, émergence de Noé. L'idolâtrie se répand : Dieu se choisit un homme et suscite Abraham, Esaü se perd dans la matière (dans les lentilles !), mais

Jacob croit à la bénédiction et, lentement, devient Israël. En Égypte, de nouveau, se succèdent prospérité, persécution et délivrance. Il en sera de même en Terre Promise, et les épreuves et les exils se termineront par de joyeux retours.

Peu m'importe que le Christ soit ressuscité historiquement

La résurrection du Christ est capitale. Elle est promesse de résurrection pour tout homme venant en ce monde. Elle est capitale parce que c'est à la tête de l'humanité entière que le Christ entre dans sa gloire.

« De même, en effet, que tous meurent en Adam, tous aussi revivent dans le Christ. »

On a trop dit que la mort du Christ était, « humainement parlant », un échec. N'est-ce pas plutôt un magnifique succès humain de fidélité et d'amour ? Un homme a accompli sa mission malgré la torture, l'abandon, la trahison. Il a gardé foi jusqu'au bout, il a aimé « jusqu'à la fin ».

Et quelle fécondité visible ! Cette mort a retenti immédiatement en conversion du larron, du centurion, de « ceux qui retournaient à Jérusalem en se frappant la poitrine et en avouant : "Cet homme était le Fils de

Dieu !" ». C'est cela, la résurrection du Christ. Ce n'est pas le tombeau vide et les apparitions qui ont fait de la mort du Christ, trois jours après, une victoire. C'est sa mort qui a fait sa résurrection : une telle mort bouleverse le monde plus que tout triomphe. En méditant cet exemple et en relisant les Écritures, les Apôtres ont fini par comprendre « qu'il n'était pas possible que la mort le retînt en son pouvoir » (Actes 2, 24). Ils ont senti qu'un autre esprit les animait. Ils ont connu et expérimenté un courage, une lucidité, des pouvoirs qu'ils ne connaissaient pas. « Le Christ est ressuscité en corps mystique » à travers tous ceux qui ont commencé d'en vivre.

Autant « la chair ne sert de rien », laissée à elle-même, autant, vivifiée par l'Esprit, elle devient capable de servir aux œuvres les plus divines. Actuellement, elle nous isole bien plus qu'elle ne nous permet le contact. La chair ressuscitée du Christ, elle, est principe de communion illimitée.

La vérité historique de la résurrection du Christ n'est que l'origine de cette vérité permanente de notre résurrection en Lui. Ce qui importe, ce n'est pas que le Christ « a » ressuscité c'est qu'Il « est » ressuscité, qu'Il est vivant, qu'Il a accompli sa promesse de se rebâtir, en trois jours, un corps, un vrai temple, fait de pierres vivantes, un corps à la dimension de son ambition de Salut. Qu'Il est Résurrection ! Peu m'importe que le Christ soit ressuscité, s'Il ne ressuscite pas en moi. Peu m'importe qu'Il soit sorti vivant du tombeau, s'Il n'émerge pas, éclatant, des ténèbres de mon âme. Peu m'importe qu'Il soit apparu aux apôtres, s'Il ne se manifeste pas à moi !

La meilleure preuve que le Christ est ressuscité, c'est qu'Il est encore vivant. Il vivifie. Le seul moyen pour l'immense majorité de nos contemporains de Le voir vivre, c'est que nous nous aimions les uns les autres. Le Christ n'a pas d'autre corps visible que les hommes et pas d'autre amour à montrer que celui qu'ils se donnent. C'est à nous de témoigner de la résurrection du Christ. « Honte à la religion qui n'a de preuves que du passé ! »

IX

Foi et parole de Dieu

Dieu parle aujourd'hui

Tu crois que Dieu est parole ? Cela m'est égal.

As-tu l'expérience qu'Il te parle ? Oui ? Alors tu peux croire qu'Il te parlera encore. Et puisqu'Il t'a parlé, à toi, tu peux être sûr qu'Il parlera à d'autres.

Comment Dieu parle-t-Il ? En te communiquant ses goûts. As-tu le goût de la justice, de la paix, du pauvre, de l'étranger, de l'handicapé, du prisonnier, du malade, du vieillard ? Si oui, c'est que tu as les goûts de Dieu. Les goûts de Dieu te parlent.

As-tu vu des anges dans ta vie ?

Un ange, c'est un messager de Dieu, quelqu'un qui est porteur d'un appel.

Aujourd'hui, un ange porte une robe ou un veston. Quelqu'un qui te parle, qui te livre un message, tu en as vu tout le temps. C'est ton mari, ta femme, ton voisin, mais comme il n'était pas suffisamment emplumé, tu ne l'as pas reconnu.

A la lumière de l'Écriture

La foi chrétienne naît d'une rencontre entre une Parole de Révélation et la vie dont on vivait déjà sans le savoir. On ne se convertit jamais qu'à ce qu'on attendait obscurément, à une vérité qu'on pressentait sans être capable de la percevoir, à notre vérité révélée par Celui « qui sait ce qu'il y a dans l'homme ».

Notre premier devoir n'est pas de chercher le sens de l'Écriture, mais de trouver le sens de notre vie, et nous comprendrons alors que la Bible est une expression particulière de ce que nous vivons tous.

Notre foi est une option libre et raisonnable basée sur une certaine perception de la réalité de Dieu, de sa présence actuelle. Nous retrouverons celle-ci dans les faits du passé parce que nous l'avons d'abord trouvée, sentie, expérimentée dans les faits du présent. C'est la richesse de notre expérience personnelle qui nous introduit à la richesse de révélation de l'Écriture, parce que nous y découvrirons, merveilleusement exprimé, ce dont nous vivons déjà obscurément. Nous rencontrerons Dieu dans notre expérience personnelle, et alors nous Le reconnaîtrons dans l'expérience des autres. L'Écriture exprime la conscience qu'ont pris de leur existence des hommes comme nous et c'est pourquoi ils peuvent nous introduire à une meilleure conscience de ce que nous vivons comme eux.

L'Écriture est au service de l'homme, et non l'homme au service de l'Écriture.

Lisons l'Écriture à la lumière de notre expérience, et nous interpréterons notre expérience à la lumière de l'Écriture. Si je n'avais que son témoignage, je me sentirais totalement étranger à ce monde d'il y a deux mille ans. Si je n'avais que mon expérience, j'hésiterais à croire qu'elle m'introduit dans une réalité universelle. Mais les deux s'accordent et me font avancer dans l'intelligence de l'une par rapport à l'autre.

La Bible, l'Évangile, est l'histoire sainte d'un peuple particulier qui a vu Dieu à l'œuvre dans les événements de sa vie. Le vrai service qu'elle doit nous rendre est de nous aider à voir Dieu à l'œuvre dans les événements de notre vie. Notre histoire à nous est aussi une histoire sainte. Nous ne comprendrons celle de ce peuple de l'intérieur que si nous prenons conscience de la nôtre. Et nous comprendrons mieux la nôtre en la comparant à la sienne.

◇

Ne soyons pas que des consommateurs de Parole. Qu'y a-t-il de plus important, un texte du passé ou notre expérience de vie ?
Quand écrirons-nous l'Évangile d'aujourd'hui ?

Un phare, non une borne...

Jésus n'a rien écrit, n'a pas systématisé son enseignement. Il nous a laissés libres de l'utiliser comme un phare, et non comme une borne. Si nous sommes suspendus à lui comme une marionnette à un fil, nous ne sommes pas chrétiens, car Jésus n'était pas ainsi. L'Écriture ne nous servira que si nous ne la sacralisons pas.

Le prophète n'est pas un homme qui entend Dieu lui parler, c'est un homme qui tente d'exprimer des expériences ineffables en mots toujours insuffisants.

Autant le prophète est nuisible s'il prétend monopoliser l'inspiration divine, autant il peut nous apprendre à l'accueillir et à l'interpréter comme lui. « Il faut la même grâce à celui qui entend la prophétie, disent les Pères, qu'à celui qui l'a, pour la première fois, proclamée. »

Dieu ne parle pas aux hommes par des prophètes. Il parle à chaque homme, mais seuls quelques « prophètes » l'écoutent.

X

La foi réinventée

L'ère de l'interrogation

Nous sommes entrés dans l'ère de l'interrogation. Un flot d'informations contradictoires nous oblige à une méfiance généralisée. La publicité, la propagande, la puissance des mass media, l'art des conditionnements sont devenus tels qu'il nous faut éduquer nos enfants à se protéger, à critiquer, à réagir pour qu'ils soient en mesure de croire à bon escient.

Toute doctrine est relativisée par comparaison à celles qui la concurrencent. Chacun doit, seul ou avec quelques autres, réinventer sa foi.

◇

Quel est pour vous le critère dernier de la vérité ? Un homme ? Un livre ? Une communauté ? Non, la vérité, personne ne la possède ni ne peut vous la livrer toute faite. Et cette vérité, il n'y a que vous pour la discerner et la reconnaître. Finalement, le seul critère de ce qui est vrai, après épuisement de toutes les informations et contrôles, c'est *vous* !

Si vous croyez en la Bible, c'est vous qui avez choisi la Bible parmi d'innombrables autres livres.

Si vous croyez en une Église, c'est vous qui avez adopté et qui continuez à préférer cette Église parmi beaucoup d'autres.

Si vous croyez en Dieu, c'est vous qui avez reconnu ce Dieu.

Si nous n'avons pas toute la vérité, chacun de nous, à certains moments, sent bien qu'il est dans la vérité, qu'il est en prise directe sur le réel, qu'il progresse vers le vrai.

Il n'y a que vous pour penser ce que vous pensez. Lapalissade ? Pas tellement. Personne ne peut penser pour vous. Vous ne pensez pas la pensée des autres, pas plus que vous ne sentez leurs sensations. La vérité n'est pas ce qui sort de la bouche des autres, fût-ce des enfants, mais ce qui est entré dans votre tête à vous. Dans le domaine intellectuel et moral, il n'y a ni rentiers, ni mendiants, il n'y a que des travailleurs.

◇

Personne ne possède la vérité, ne l'atteint tout entière et ne l'exprime adéquatement.

La vérité, pour nous, est comme une personne, elle est comme Dieu : « Je suis la vérité. » Et une personne, on ne la possède pas, on l'écoute, on l'approche, on la considère et on progresse sans fin dans sa découverte.

Jésus était un créateur

Jésus nous interroge : « Mais pourquoi ne jugez-vous pas par vous-mêmes de ce qui est juste ? » (Luc 12, 57.)

Jésus n'a rien écrit, n'a pas systématisé son enseignement, n'a rédigé ni Credo, ni code moral. Jésus était un inventeur, un créateur, et la vraie fidélité à Jésus est de créer, d'inventer, d'être libre comme lui, d'être libre vis-à-vis de lui comme il l'a été vis-à-vis de la révélation « divine » qui l'avait précédé.

Être disciple du Christ, c'est oser inventer pour notre temps comme il a osé inventer pour le sien, redresser les déviations, dépasser la loi, mais à condition d'être assez pénétré de la Tradition vivante pour inventer valablement le présent.

On a longtemps fait de la foi une question d'obéissance : « Je crois à cause de l'autorité de Dieu qui révèle... » — ou de témoignage : « Je crois à des témoins qui se font égorger » (Pascal).

La première foi, la foi fondamentale, est la foi en soi. Croire que nous sommes capables de percevoir le réel, d'approcher de la vérité. Quels en sont les moyens ? Calme, expérience réfléchie, contrôles, écoute des autres.

Connaître pour croire

La vraie foi exige de connaître pour croire. Quand on a commencé à connaître quelqu'un, alors on peut commencer à croire en lui.

La foi repose sur une expérience de vérité à laquelle on fait assez confiance pour risquer sur elle sa recherche ou même sa vie. Mais rester assez lucide pour ne pas perdre contact avec le réel et assez honnête pour préférer la vérité à des formules.

La vérité et l'erreur, le bien et le mal, la foi et le doute, l'ivraie et le bon grain sont inextricablement enchevêtrés dans notre univers. Nous ne pouvons les discerner à coup sûr ni à bref délai. La grande erreur de l'idéologie et de la crédulité est le manichéisme : déclarer avec « autorité », avec « infaillibilité » où est Dieu et où Il n'est pas, où sont les justes et où sont les pécheurs, où est le dogme et où est l'hérésie.

L'ambiguïté ne doit pas nous rendre sceptiques, elle fonde au contraire notre liberté de jugement. Nous avons à choisir, non pas entre le blanc et le noir, entre Dieu et le diable, mais entre deux partis, entre deux solutions où il y a du vrai et du faux, du bien et du mal en proportions différentes. A nous de préférer le meilleur ou le moins mauvais, sans oublier qu'en face il reste du bon grain, et chez nous de l'ivraie.

XI

Foi et liberté

Au vent de Dieu

La liberté ne se trouve que dans la volonté éclairée sur ce qu'elle veut vraiment. Elle sera d'autant plus elle-même qu'elle pourra se déterminer plus totalement.

C'est pourquoi nous n'exercerons jamais plus pleinement notre liberté que vis-à-vis de l'Être qui appelle un consentement absolu. Là où il n'y a plus de possibilité de choix ni de refus, là s'exprime enfin la totalité de notre capacité d'amour.

Nous serons enfin libres d'aimer infiniment. Et cet Être qui nous dépasse, bien loin de nous écraser, nous rend, par sa rencontre, plus vivants, plus nous-mêmes que nous ne l'avions jamais été sans Lui : Lui seul nous délivre de nos rétrécissements, de nos tâtonnements et de nos erreurs. Lui seul déploie notre personnalité en faisant appel à toutes nos ressources. Lui seul est accordé à toute la spontanéité de notre élan.

Notre liberté repose, disons mieux, elle consiste dans cette orientation foncière vers le Bien absolu. C'est celui-ci qui suscite toute notre capacité de vouloir, et nous n'avons jamais rien voulu que par rapport et ressemblance à Celui que nous recherchons à travers son œuvre. Lui seul est voulu pour Lui-même, et les autres à cause de Lui.

Ayez bon espoir dans le vent de Dieu qui finira par gonfler vos voiles, et ce jour-là, vous saurez qu'il ne vous manque rien pour vivre heureux et confiant. Car cette confiance est basée sur un amour personnel de Dieu pour vous. Vous ne comprendrez rien à votre vie, si vous n'arrivez à croire qu'elle est une grâce de Dieu, une vocation, un appel, qui vous est adressé par une Personne infinie, à L'aimer infiniment. Alors seulement votre âme se déploiera comme elle en est capable et comme elle aspire à le faire. Vous ne pourrez vous redresser de toute votre taille sous le ciel que si vous le savez habité d'une Présence aimante et attentive.

◇

La liberté de pécher est une pauvre liberté. Qui nous rendra assez libres pour que nous puissions ne plus pécher, et même pour que nous ne nous égarions plus vers d'autres biens que ceux que nous voulons vraiment ?

◇

On comprend que les élus aiment Dieu de l'acte le plus libre et le plus inébranlable. Et cela sans obligation ni contrainte qui les dégraderaient. La liberté, c'est devenir soi-même, c'est la possibilité de se réaliser et de s'épanouir. Or l'homme ne s'achève qu'en trouvant à se donner. C'est dans l'amour qu'il connaît l'exaltation suprême.

Dérangeante liberté

L'estime et la recommandation de la liberté sont rarement l'objet de la prédication chrétienne. Dans une Église fortement hiérarchisée comme l'Église catholique, celui qui parle de la liberté est suspect. Les invectives de saint Paul contre la Loi sont parfois rappelées, mais on les entend évidemment de la loi mosaïque, au lieu de les appliquer à toute loi.

On admet que l'Esprit Saint est un Esprit de Liberté — « Où est l'Esprit du Seigneur, là est la liberté » (II Cor 3, 17), — mais on affirme que les commandements de Dieu et de l'Église restent évidemment la base de la religion. Alors que la base de la religion est l'Esprit, qui intériorise les lois de façon à nous les faire aimer. Pour un chrétien, les lois ne sont que l'apprentissage de la liberté. Même si cet apprentissage est lent !

◇

Les hommes d'ordre craignent la liberté et l'inspiration. Ils sont conservateurs et réactionnaires. Alors que l'Esprit est l'ennemi du « vieil homme », celui qui est en retard sur l'évolution du monde, qui en reste au Décalogue quand viennent les Béatitudes. Ils ne croient pas au progrès. Le *statu quo*, pour eux, est déjà bien assez beau. Aussi sont-ils préoccupés de maintenir et préserver l'acquis. Ils enferment le sel de la terre dans les salières les plus solides et les plus hermétiques possibles. Ils sont pessimistes sur l'avenir du monde et sur l'efficacité de l'homme. Ils croient que le péché triomphera toujours et que ce monde sera détruit par une catastrophe finale. Aussi ne se passionnent-ils pas pour l'améliorer !

L'homme affranchi

Tout ce qui va contre la libération de l'homme ne peut venir de Dieu. Jésus nous a libérés de la Loi, du culte, des Églises et même de Dieu comme Être séparé de l'homme, surplombant et asservissant l'homme.

◇

Jésus nous a rendus à notre mouvement le plus naturel : aimer, savoir, rendre grâce. Celui-là seul est libre, celui-là seul possède bien son être, qui en dispose et qui le rend à Dieu. Une eucharistie joyeuse le soulève vers Lui de l'élan même qui Le porte vers nous.

◇

La vraie religion est essentiellement libératrice. La Rédemption est une Pâque, un passage de l'esclavage à l'affranchissement. « La vérité vous délivrera » (Jean 8, 32). « Si le Fils de l'homme vous affranchit, vous serez réellement libres. »

◇

Cette liberté est si généreuse qu'elle est cosmique : « La création, elle aussi, sera libérée pour participer à la liberté glorieuse des enfants de Dieu. » (Rom 8, 21.)

Dieu, en créant l'homme libre, a voulu se limiter. Ce n'est pas nous qui limitons sa toute-puissance, c'est Lui qui a choisi de la manifester d'une manière infiniment plus belle, en créant des créateurs, en donnant à sa créature de quoi Lui donner à son tour, et de quoi lui résister.

◇

Dieu ne se fera jamais aimer par contrainte. Il ne fait pas semblant de solliciter le consentement de ses créatures. Il nous a vraiment laissé initiative et responsabilité. Même chez les anges, il y a eu possibilité de refus.

Et cependant Dieu reste le grand Maître de l'histoire. Mais ce n'est pas comme un dictateur, c'est comme un amoureux fidèle au-delà de tout refus et de toute trahison. Ne l'imaginons pas comme un compositeur qui fait exécuter son œuvre, mais comme un improvisateur qui invente à chaque seconde en fonction de ce qu'il vient d'entendre, et qui intègre le tout à sa création.

XII

Les Églises à l'épreuve de la foi

Le choc des mentalités

Nous vivons une crise spirituelle fondamentale. Elle ne porte pas sur tel ou tel point de doctrine ou de morale, elle est générale et se manifeste par l'indifférence aux Églises et à leur message. Ce qui constitue la crise, c'est le décalage entre ce message des Églises et la mentalité, les besoins de nos contemporains.

Voilà des siècles que l'Esprit semble souffler davantage hors des Églises que dedans, chez les philosophes, les humanistes, les savants, les artistes, les sociologues et les politiques plutôt que chez les responsables de nos Églises. Pendant que nous nous occupions de nos problèmes internes, de nos cultes, de nos modes liturgiques, de nos exégèses, de nos querelles ecclésiologiques, le monde inventait, souvent malgré nous et contre nous, la démocratie, la tolérance, le socialisme, l'évolution, la psychologie des profondeurs, l'égalité des droits, l'instruction obligatoire, la décolonisation, l'émancipation des femmes, des Noirs, l'éducation sexuelle et la contraception. Les Églises ont fini par suivre le mouvement après résistance et avec retard, tout en se proclamant « expertes en humanité » !

◇

La crise actuelle dénonce la passivité et la démission des chrétiens. C'est le dynamisme de leur foi, ses exigences, la fidélité vraie à Jésus qui auraient dû les pousser à distinguer entre l'essentiel et l'accessoire, à poser les questions et à inventer les réponses comme le monde le fait sans eux. Ils traînent à la remorque de leur temps et se défient des progrès faits en leur absence.

Dieu manifesté

Les Églises ont succombé à la tentation de la Synagogue : créer une société centrée sur elle-même, proclamant sa vérité définitive et incomparable, et qui s'exclut de l'univers à force d'exclure ceux qui ne pensent pas comme elle.

◇

La fonction des Églises est double : faire connaître Dieu et ensuite Le faire reconnaître dans sa Révélation, sous son vrai nom, Le montrer, c'est-à-dire Le rendre présent dans un acte de libération de l'homme, et ensuite Le nommer.

◇

En l'an 30 de notre ère, la Synagogue prétendait, comme trop d'entre nous aujourd'hui, confesser Dieu sans en témoigner. Alors Dieu devait recourir aux Samaritains, aux païens, aux publicains, aux courtisanes, pour se manifester dans un geste de compassion, d'amour, de partage.

Aujourd'hui, à qui Dieu peut-Il faire appel pour que l'homme soit libéré ?

◇

Quel déguisement sera assez discret pour que Dieu ne soit pas repoussé en étant nommé prématurément, assez pauvre et simple pour ne décourager personne de la responsabilité de Le rendre présent, assez misérable pour prouver que Dieu est vraiment partout ?

◇

La mission de rendre Dieu présent, à qui incombe-t-elle ? A vous, à moi, à n'importe qui : à quelqu'un qui a tant besoin d'être aimé, et qu'on envoie aimer les autres ; à quelqu'un qui a tant besoin de voir Dieu et qui pourtant est chargé de Le montrer ; à quelqu'un qui a tant besoin de croire et qui se met à convertir ! A quelqu'un qui se sent misérable et qui doit pourtant enrichir beaucoup d'autres, les réjouir, les réchauffer avant de pouvoir venir, comme un pauvre parmi les pauvres, se réconforter au feu qu'Il aura allumé pour tous.

◇

Dieu n'a pas d'autre révélation que nous, et c'est nous qui sommes responsables de son occultation ou de son apparition.

Une Église crédible

Il n'y a de présence du Saint-Esprit que dans un groupe qui s'aime.

◇

Le rôle d'une communauté, d'une Église, c'est de rendre le Saint-Esprit visible. Un endroit où l'on s'aime, c'est visible ; et un endroit où l'on ne s'aime pas, je vous jure que c'est visible aussi.

◇

Dans les Actes des Apôtres, il y a un passage magnifique : saint Pierre, à la porte du Temple, rencontre un boiteux qui lui demande l'aumône et qui tend la main s'attendant à ce que Pierre lui donne quelque chose. Et Pierre, le premier pape, lui dit : « Je n'ai ni or ni argent, mais ce que j'ai, je te le donne : au nom de Notre Seigneur Jésus-Christ, lève-toi et marche. » Comprenez. Quand l'Église n'a ni or ni argent, elle met l'humanité debout, elle a un souffle révolutionnaire.

Pouvoir et autorité

Le mot « autorité » a deux sens. Un sens odieux : le droit de dicter à autrui sa pensée ou sa conduite. Ce pouvoir est diabolique. C'est Satan qui en ce monde détient le pouvoir (Luc 4, 5), pouvoir de la force, de l'argent, de la séduction. « Le pouvoir corrompt, tout pouvoir corrompt, et le pouvoir absolu corrompt absolument. »

Mais le sens originel du mot est tout différent : autorité vient du mot latin « augere » qui signifie augmenter, c'est-à-dire faire fructifier, accroître, multiplier, enrichir ceux à qui on s'adresse. Le rôle propre de l'autorité est d'autoriser, c'est-à-dire de rendre l'autre auteur à son tour, responsable, créateur.

Cette autorité-là, il faut s'en pénétrer assez pour s'en libérer, comme Jésus qui scrutait l'Écriture, la résumait de main de maître, la citait avec une liberté étonnante, en jouait comme d'un instrument pour en expliquer le sens.

◇

Jésus parlait avec « autorité », mais refusait le pouvoir. Les Églises ont perdu en influence, en autorité véritable tout ce qu'elles ont gagné en pouvoir. Elles gagneront en crédibilité ce qu'elles perdront en autoritarisme.

La grande erreur des Églises vient de la confusion entre pouvoir et autorité. « Qui vous écoute, m'écoute », est-ce un pouvoir d'imposer notre parole, un droit à être écouté avec une soumission aveugle, ou bien est-ce une terrible responsabilité ? « Tous ceux que vous aurez découragés, déçus, révoltés en leur donnant des pierres en guise de pain, c'est Moi que, par votre faute, ils n'auront pas entendu. Mais si vous vous adressez à eux avec assez d'humilité et de transparence, vos paroles retentiront si justes dans leur cœur qu'ils y reconnaîtront Ma voix. »

« Tout ce que tu lieras sur la terre sera lié dans le ciel et tout ce que tu délieras sur la terre sera délié dans le ciel », est-ce le pouvoir de juger, de condamner ou d'absoudre ? N'est-ce pas au contraire une exaltante responsabilité ? « Tous ceux que vous aurez traités avec assez d'amour et de respect pour leur faire désirer et accepter le pardon, réjouissez-vous, c'est à Moi aussi que vous les aurez réunis. Ils sont déliés, libérés pour toujours. Mais ceux que vous aurez maltraités, rebutés, aigris, hélas, c'est aussi vis-à-vis de Moi qu'ils resteront paralysés. »

Dans le monde

Le christianisme n'ajoute rien à la réalité de l'amour, il ne fait que la dévoiler.

L'Église ne monopolise ni Dieu, ni la grâce, ni l'amour. Elle est le Sacrement, le signe, l'expression de ce que l'Esprit de Jésus suscite sans cesse dans chaque homme.

Dans l'Ancien Testament, Dieu avait d'autres fils d'Abraham que les Juifs. Aujourd'hui, Il a d'autres fils du Royaume que catholiques, orthodoxes ou protestants. Il a d'innombrables brebis qui ne sont pas recensées dans les bergeries officielles (Jean 10, 16) ; Il a des enfants dispersés dans le monde entier qui s'ignorent eux-mêmes, qui ignorent leur fraternité, et qu'Il souhaite rassembler en un seul corps (Jean 11, 52).

Ce monde, il faut l'aimer, y investir toute sa foi, toute son espérance pour le transformer, car il n'y en aura pas d'autre !

Jamais les chrétiens ne perdront cœur : ni dans l'échec, ni dans la persécution, ni dans la souffrance, parce qu'ils savent, dans le Christ, quelles résurrections triomphales surgissent des plus désolants calvaires.

Ce qui rend les chrétiens invincibles, c'est leur foi dans la parole du Maître : « Ayez confiance, j'ai vaincu le monde. »

XIII

Foi et amour

Un seul amour

La foi chrétienne proclame qu'il n'existe qu'un seul amour. Deux commandements unifiés : tout vrai amour de l'homme est amour de Dieu. Ce que vous donnez à l'homme, vous l'avez donné à Dieu.

Tout vrai amour de Dieu doit être un amour explicite et manifeste de l'homme. Mais il peut exister un vrai amour de l'homme sans amour conscient de Dieu. On peut se sauver sans culte, sans baptême, sans eucharistie. On ne se sauve pas sans amour.

Tous, nous serons obligés de prendre position vis-à-vis des hommes. Un amour vrai et un véritable respect de l'homme sont pour nous, à cause de l'Incarnation, un vrai amour et un véritable respect du Dieu-Homme, une vraie relation à Jésus-Christ : « Je suis Jésus que tu persécutes... ou que tu sers. »

Le Christ a libéré l'homme en lui révélant que pour devenir Dieu il ne faut pas devenir riche, il ne faut pas devenir fort, il ne faut pas devenir écrasant, prestigieux, indépendant. Pour devenir Dieu, il suffit de commencer à aimer et à servir les autres.

Quand Dieu, en nous, aimera les autres, nous ne serons plus que louange de sa gloire. Et nous ne saurons plus distinguer si nous croyons ou si nous agissons, si nous sommes plus près de Lui en Le contemplant ou en travaillant.

L'observation attentive de l'amour qui nous porte au service de nos frères nous fait percevoir, à la lumière de la Révélation, que l'amour est en nous comme s'il n'était pas de nous.

Face à l'amour

Tu dois, au fond de toi, très bien connaître l'amour et y croire pour le chercher si assidûment, pour être si malheureux de ne pas le trouver, pour être capable de l'identifier avec certitude quand tu le rencontres et pour le discerner de ses mensonges.

◇

Dans une vie d'amour vrai, Dieu ne s'ajoute pas, il est « dedans ». L'incroyant comme le croyant, s'ils vivent d'amour, vivent de Dieu.

◇

Chrétiens et athées peuvent avoir en commun l'amour et le respect de l'homme. Mais, pour les chrétiens, c'est le Christ qui nous y a menés.

◇

L'expérience de foi est une expérience d'amour, d'un amour qui vient de plus que nous et qui nous dépasse, d'un amour « reçu » qui nous transforme en nous traversant, d'un amour aussi gratuit en celui qui le reçoit qu'en celui qui le donne.

« Quiconque aime, est né de Dieu et connaît Dieu. »

◇

La charité est un amour vrai, et donc nullement la propriété des chrétiens. Beaucoup de gens qui aiment vraiment ne sont pas chrétiens, et beaucoup de chrétiens manquent d'amour. Ceux qui mettent leur foi dans les forces surnaturelles en font-ils meilleur usage que ceux qui n'y pensent pas ?

Croire en soi... croire en Dieu

Croire en soi, s'aimer soi-même sont les vérités chrétiennes les plus décriées par les chrétiens : « Ne t'écoute pas ! Ne t'occupe pas de toi ! Oublie-toi ! Renonce à toi-même ! »

Or, nous ne pouvons avoir d'amour et de respect pour Dieu si nous n'en avons pour son œuvre, pour ce premier témoignage de bonté qu'Il nous fait en nous donnant à nous-mêmes.

Tu ne peux pas aimer Dieu et croire en Lui si tu ne t'aimes pas toi-même, car comment aimer l'original si tu n'aimes pas la copie ? Comment aimer le donateur si tu n'apprécies nullement le don ? Tu es le premier prochain que Dieu te confie. Quelle estime en as-tu, quel soin en prends-tu ?

Beaucoup de chrétiens ont foi en Dieu, mais se défient totalement d'eux-mêmes. Certes, ils savent que Dieu les a créés, les aime et les habite, mais ils persistent à trouver sordide la demeure qu'Il s'est choisie. Lui aspire à y pénétrer davantage, et eux n'aspirent qu'à en sortir.

Cette apparente humilité est le détour subtil que nous inventons pour faire semblant de croire, tout en gardant intacts au fond de nous notre athéisme et notre tranquille « inespoir ». Nous avons trouvé le moyen de ne pas être dépourvus de foi, et de vivre cependant sans qu'elle soulève nos montagnes, sans qu'elle chasse notre peur.

Si vous refusez de croire que Dieu vous aime et voit en vous un être aimable, c'est que vous refusez de croire qu'Il est capable de faire quelque chose de rien. Or c'est ça créer ! Vous ne croyez donc pas en cette toute-puissance d'amour créateur ?

XIV

Foi et prière

Prier, c'est exprimer sa foi

Le lieu des rencontres les plus profondes avec le Seigneur, c'est la prière.

« Il faut prier toujours et sans se lasser », a dit Jésus. Si la prière est la vie de Dieu en nous, l'expression des désirs de foi, d'espérance, d'amour qu'Il suscite sans cesse dans nos âmes, on comprend qu'elle puisse être continuelle.

Prier, c'est avant tout cesser de résister pour se mettre en état de réceptivité ! La prière correspond au caractère infus de la grâce et de l'amour : « De moi-même, je ne puis rien faire. » La prière est permanente, puisque nous devons continuellement recevoir ce que nous avons à donner.

◇

Prier, c'est s'exposer à Dieu comme on s'expose au feu, au soleil, à la lumière.

◇

Prier, c'est se mettre sous l'influence de l'Esprit-Saint, se calmer, se recueillir pour laisser sourdre, filtrer, jaillir nos activités les plus profondes, et se rendre docile à un Autre qui prie en nous.

Prier, c'est consentir à plus grand que soi, c'est laisser s'éveiller en nous, laisser déborder en nous la joie, l'amour du Fils pour son Père.

C'est dans la prière qu'aux jours de sa chair, le Fils retrouvait le Père. C'est là que nous Le retrouvons, chaque fois que nous L'aurons perdu, chaque fois que nous aurons recommencé de Le perdre, là que nous redeviendrons fils et filles, comme Jésus y redevenait pleinement Fils.

Dieu est invisible aux yeux, mais il devient visible à l'âme qui prie.

Naître Fils

Prier, c'est mourir et vivre, c'est mourir dans toute une zone de nous-mêmes, où nous ne sommes que trop vivants, mais secs, agités, stériles. C'est naître dans toute une vertigineuse profondeur où notre âme paralysée se remet à frémir, comme le sang recommence à couler dans un membre engourdi. Ça fait mal, ça fait lentement mal, mais c'est le mal qu'on éprouve à naître ou à redevenir vivant.

Dans la prière, lentement, Dieu surgit, Dieu agit, Dieu se manifeste. Dieu devient Dieu en nous. Et tous les nœuds se défont, les montagnes sont soulevées. On ne sait comment cela s'est fait, mais il est vrai que maintenant elles flottent comme des nuages autour de nous, on pourrait souffler dessus, les écarter du doigt. Il est vrai que la prière soulève les montagnes, et qu'elle nous fait marcher sur les eaux.

La prière païenne croit qu'il s'agit de modifier la pensée de Dieu. Elle prétend L'informer, Le mettre au courant d'une situation à laquelle Il n'attache pas l'importance qu'elle mérite. Bien plus, elle entreprend de stimuler un Dieu endormi, d'émouvoir un Dieu indifférent, d'améliorer un Dieu imparfait, de Le rendre bienveillant, attentif enfin à nos besoins. En multipliant nos supplications, elle ne fait que multiplier ses blasphèmes.

Prier, au contraire, c'est enfin laisser Dieu devenir Dieu en nous, c'est se prêter à son action, s'ouvrir à son influence. Prier, c'est laisser Dieu faire enfin en nous ce qu'Il voudrait y faire toujours, si seulement nous Lui en laissions le temps, le loisir, l'occasion.

En priant, vous entrez dans les vues de Dieu, vous voyez les choses comme Il les voit, mais, surtout, c'est sa vie qui entre en vous et vous entraîne. Alors vous comprenez que, puisque ce n'est pas vous qui priez, vous devez seulement proposer votre prière, vous devez timidement essayer, sur le mouvement de la prière qui vient de Dieu, les pauvres mots qui viennent de vous. A force d'attention, d'humilité, de silence, cette prière en nous qui chemine finira bien par nous jaillir aux lèvres. A force de penser, de croire, non pas à ce que nous demandons, mais à Celui à qui nous le demandons, nous finirons bien par savoir ce qu'il fallait demander. En continuant de prier, les mots se changeront d'eux-mêmes sur la mélodie de la prière et les justes paroles viendront en tâtonnant s'y poser.

Dans la prière, l'homme se sent pétri et transformé si profondément, si douloureusement parfois, qu'il est bien forcé de confesser que Dieu seul peut agir en lui à une telle profondeur. Tous nous pouvons essayer de nous prêter à cette puissance transformante. Vous sentirez se modifier peu à peu, sous l'influence de la prière, les dispositions que vous aviez apportées. Vous sentirez se modeler votre âme à l'imitation d'un Autre. Vous serez dépouillés de vos ambitions humaines, purifiés de vos intérêts, détachés de vos buts mesquins et merveilleusement réconfortés pour accepter ce qui vous semblait impossible.

XV

Foi, péché, pénitence

Visages

De Dieu, attendez-vous encore quelque chose ?

Le pire péché, c'est de ne plus rien attendre de Dieu.

Judas reconnaît sa faute. Oui, il a été « à confesse ». Il a avoué : « J'ai péché, j'ai répandu le sang innocent ! »

Mais il en reste là, et c'est si accablant qu'il va se pendre !

Pierre regarde Jésus.

Le regard de Pierre se tourne vers Jésus et rencontre son regard. Il voit son Dieu humilié, qui l'appelle, et qui l'attend. Alors il est soulevé à son tour d'amour, de souffrance et de joie, d'une immense espérance : d'un vrai repentir. Il est détaché de son péché. Il a rencontré celui qui le libère du péché et du désespoir.

« Il s'en alla tout triste ».

Pourquoi tenons-nous tant à notre tristesse ? Pourquoi cette espèce de complaisance dans l'accablement ? Pourquoi nous sentons-nous au-dedans de notre malheur comme dans un vêtement chaud dont on ne sait plus se passer ? « Cela devait arriver, je n'ai jamais eu de chance. » Pourquoi est-ce tellement plus facile à dire : « Le Seigneur fit pour moi des merveilles » ? Pourquoi ce recul devant la joie ? Et cette impression, si on s'y abandonne, d'être dépossédé ?

La tristesse est le dernier refuge de notre égoïsme, le lieu où il nous est le plus chevillé au corps.

◇

Comme le jeune homme riche, nous sommes tous riches, horriblement riches. Une richesse, ce n'est pas tant ce que nous possédons que ce qui nous possède. Une richesse, on ne la maîtrise pas, on la sert. Or, « nul ne peut servir deux maîtres ».

135

Et l'enfer ?

L'existence de l'enfer est indispensable. Sans lui, le ciel ne serait plus qu'un camp de concentration. « Si on nous oblige à y aller, je n'y vais pas ! » Et si le choix est libre, il faut qu'on puisse aller ailleurs.

◇

Le ciel est le lieu où l'on s'aime. On n'y accède que librement. L'existence de l'enfer est l'expression du respect de Dieu pour notre liberté. Dieu ne forcera jamais personne à l'aimer. L'enfer est le refuge du refus !

◇

Mais l'enfer est-il peuplé ?
Rien n'est affirmé sur l'existence des damnés ni sur leur nombre. L'Église canonise : elle assure que certains sont sauvés. Mais elle ne « damne » pas : nous ne sommes pas obligés par la foi à croire que tel ou tel est en enfer.

◇

Que l'enfer soit vide ou plein, ce n'est pas encore décidé, c'est l'affaire de l'humanité totale, solidaire et responsable. Nous devons croire qu'il est possible de se damner, et bien naïf qui ne sent pas en lui-même la réalité, et même l'attrait de ce refus et de ce désespoir. L'oubli ou l'incrédulité vis-à-vis de l'enfer fait les pécheurs, mais la foi en l'enfer fait les rédempteurs. Jésus connaissait l'enfer, non l'enfer burlesque ou mythologique de Virgile ou de Dante, mais l'enfer qui ronge l'âme de beaucoup d'entre nous : l'enfer de stérilité, de méchanceté, de tristesse qui nous fait fuir à l'aveugle vers les distractions, vers l'oubli, vers la mort. Pour nous sauver de cet enfer, Jésus a incarné l'Amour, il a parlé, enseigné, il a prié, souffert, et s'est laissé crucifier. Notre foi en l'enfer fera de nous des rédempteurs.

Conversion

Tout choix s'accompagne naturellement d'exclusion, et donc de renoncement, tout amour implique une ascèse, tout progrès humain comporte un « passage », un sacrifice, un effort, une « mort ».

Le christianisme n'est jamais renoncement seul, mais préférence. L'homme qui vend tous ses biens ou ses perles pour acheter le champ au trésor ou la perle fine, n'a rien d'un masochiste : il fait une excellente opération ! Le Christ promet des récompenses « dès maintenant, en ce temps-ci » (Marc 10, 30 et Luc 18, 30). Et le grain de blé jeté en terre produit du fruit au centuple.

Pour les premiers chrétiens, la proclamation de la Pénitence était « Bonne Nouvelle », l'appel à la conversion :

Dieu allait pardonner nos fautes,

Dieu venait vers nous,

« plein de tendresse et de compassion, patient et infiniment miséricordieux » (comme le dit le prophète Joël).

Pour nous modernes, faire pénitence ? C'est une mauvaise nouvelle !

Si on parle de pénitence, de sacrifices, toutes les physionomies se rembrunissent.

Nous ne pensons qu'à nous :

à nos mortifications qui nous coûtent,

à la Croix qui nous fait peur,

aux sacrifices qui nous répugnent,

à la confession de nos péchés qu'il nous faudra faire.

Nous ne pensons pas à Dieu Qui nous attend,

Qui nous appelle, et grâce à Qui tout deviendra joie, si nous avons tourné vers Lui notre cœur.

Que vos « pénitences » ne soient pas des privations stériles, des renoncements pénibles et rancuneux, des « pertes sèches »..., des « mortifications ». Choisissez des « vivifications » pénitentielles.

Être chrétien c'est croire à la résurrection du Christ. Nous ne sommes pas chrétiens parce que nous croyons au péché, à la croix, à la souffrance et à la mort, mais parce que nous croyons au pardon, à la joie, à la libération, à la résurrection et à la vie.

Le cœur de notre foi est une espérance que toute épreuve tourne en grâce, toute tristesse en joie, toute mort en résurrection, et même toute faute en heureuse faute.

Dieu est beaucoup mieux qu'un juge : Il est Sauveur. Il ne juge pas, Il justifie. Il ne se contente pas de constater, d'enregistrer les mérites et les fautes. Il ne se borne pas à punir les pécheurs : Il se donne tout entier à faire du pécheur un saint, de l'injuste un juste, du méchant un bon. N'est-ce pas la seule besogne digne de Dieu ?

XVI

La foi, l'homme, le cosmos

Pressentiment de la vraie vie

L'homme ne devient lui-même que par
rencontre, ne pense vrai que par inspiration,
ne se trouve que par surprise.

Il y a contradiction entre l'appel que Dieu
nous adresse — devenir comme Lui diffusion
d'amour inconditionnel — et notre penchant
à nous garder et à nous déguster nous-mêmes. Dieu est relation pure, comme un oiseau
qui ne serait que vol, et l'homme est une sorte
d'animal grimpeur qui se retient farouche-
ment à la branche qu'il a saisie ; il a peur du
risque et du vide. Il est sans cesse tiraillé entre
sa vocation d'homme et sa vocation de Dieu,

entre son autonomie conçue comme un refus et sa vérité proposée comme un don.

L'insatisfaction de notre vie vient de ce que nous la comparons inconsciemment à un pressentiment de la vraie vie. Il existe au fond de nous un Absolu qui reste invisible, mais qui anime, dirige, mesure toutes nos recherches.

Mystère de l'homme

Le mystère de l'homme : il a besoin d'un Autre pour être lui-même — de tous les autres, certes, mais surtout d'une inspiration, d'une libération qui vienne à lui comme une Présence, et que le chrétien interprète en se disant qu'il vit de la même vie que le Christ.

Il y a un absolu dans l'homme, et il ne serait jamais arrivé à croire en Dieu au terme de sa recherche s'il n'avait expérimenté une certaine présence de cet absolu au départ.

L'homme n'est homme que s'il trouve à quoi se donner : une valeur supérieure à sa vie, un amour dont il puisse vivre toujours et pour lequel il puisse mourir tout de suite.

C'est la noblesse de l'homme d'avoir besoin de tous les poètes, de tous les musiciens, de tous les artistes, et de Dieu même, simplement pour découvrir ce qui était en lui.

◇

L'Esprit de Dieu envahit les hommes, et son premier effet en ceux qui Le reçoivent, est de les rassembler en un seul, en un nouveau Corps.

« Eucharistie » cosmique

Dieu a manifesté dans toute la nature sa puissance paternelle. La Création tout entière c'est, en quelque sorte, Dieu devenu visible. La nature, dans sa vérité la plus profonde, est en état de contemplation heureuse. Elle reflète, elle fait eucharistie, elle restitue, elle dit ce qu'elle a reçu, elle chante Celui à qui elle ressemble. Elle évoque Celui à l'image de qui elle a été créée.

◇

La générosité du Père est « imprimée » dans la nature. C'est pour cela que bien la contempler nous rapproche de Lui.

◇

La nature est remplie, imprégnée de Lumière, d'Esprit. A cause de cette lumière et de cette « réfraction », chaque créature a un sens.

Les savants n'en auront jamais fini de découvrir l'intelligibilité de la moindre parcelle de matière, tellement Dieu a imbibé la terre de son Esprit, de sa vie, de son image, de son Verbe... « Rien de ce qui a été fait n'a été fait sans Lui. » (Jean, 1, 3.)

La nature était notre sœur cadette, mais elle est restée l'image tellement plus fidèle de ce qu'elle était appelée à signifier qu'elle est peut-être bien devenue notre aînée. Plus fidèle. Plus ressemblante.

L'homme, souvent, parvient à la dégrader. Il a tant fait qu'il défigure la nature au point qu'elle finit par lui ressembler. L'horreur de certains lieux totalement rationnels vient peut-être de cette usurpation. Il y a là comme une image infernale de la révolte de l'homme.

◇

Le monde, c'est Dieu devenu visible. Dieu « se figurant » dans le monde. Dieu, lumière obscure, est réfléchi, manifesté en mille figures qui le réfractent. Mille aspects de Lui prennent corps, « se font chair », à travers le monde et à travers nous. Dieu est communicable, et c'est par ces choses qu'Il a créées, qu'Il se communique. Dieu veut toujours la Création. Il l'a régénérée pour qu'elle puisse rester image valable de Lui. La Rédemption est aussi originelle que le péché.

Croire à l'impossible

Est-ce que vous avez l'espoir que le monde entier, sans cesse travaillé, soulevé par l'Esprit, se mette à germer parce qu'il y a cet immense amour qui l'enveloppe ?

Entrer en Dieu, ce n'est pas une conquête, c'est un dépouillement. C'est une disponibilité, une ouverture, une remise entre ses mains. Dire « Je crois », c'est dire : je fais confiance, j'abandonne tout argument, toute défense, je m'en remets...

Ceux qui croient à l'impossible, à cause de Dieu, ceux-là enfantent pour l'éternité. Ceux-là mettent au monde, dans le cœur de leurs frères, des trésors que personne n'espérait plus voir jaillir.

Table des matières

Achevé d'imprimer le 25 octobre 1990
dans les ateliers de Normandie Impression S.A.
à Alençon (Orne)
N° d'imprimeur : 901821
Dépôt légal : novembre 1990
ISBN 2-227-340-70-5